45 明代

西元1368～1643年　〔注音本〕

全新 吳姐姐講歷史故事

吳涵碧◎著

目錄

【第946篇】

與傳説不一樣的唐伯虎。

説到唐伯虎，談到他的『三笑姻緣』，中國人總要會心一笑。唐伯虎不愧爲男人最羨慕的男人，女人最愛慕的男人。但是，事實永遠與傳説有一段相當的距離，讓我們一起先來看一看眞實的唐伯虎，如何顛沛流離、窮困潦倒，甚且還得應付家有惡妻，這眞是人們想像不到的事。

唐伯虎生於明憲宗成化六年，由於這一年，恰好是庚寅年，因此取名爲唐寅，又因爲他屬虎，所以字伯虎。不過呢，老虎太可怕，又號子畏。

唐伯虎的父親名叫唐廣德，母親郭氏，中國女人很可憐，通常都是某某氏，連自己的名字都沒有。

唐伯虎是蘇州人，家裡開了一個不小的酒食店，由於地理位置良好，唐廣德又擅於經營，因此，生意興隆。唐伯虎很少留在家裡幫忙，他總是帶著弟弟妹妹，以及一群小玩伴，四處玩耍，青少年時代的唐伯虎，的的確確是十分快樂的。

中國人有一句話：『上有天堂，下有蘇杭』，蘇州有『東方的威尼斯』之稱，城內大大小小，共有二百多條小河彎彎，再加上別致的小橋、幽靜的巷弄，形成了極爲特殊的所謂『蘇州園林』。

據說，蘇州城的建造，乃出自伍子胥的策劃，他不但親自查勘地形，

並且用舌頭嚐過水味鹹淡，同時研究天上星象，這才著手建造。如此說來，伍子胥也是一位了不起的建築大師。

伍子胥當年曾經苦勸吳王夫差，一定得要殺掉句踐，夫差不理，伍子胥含恨自殺，後人在此建『胥定橋』懷念他，此爲蘇州名勝。唐伯虎最喜歡玩的地方則是『館娃宮』。

『館娃宮』位於靈岩山，乃當年吳王夫差爲取悅西施所建造，吳人一向稱美女爲娃，故名『館娃宮』。

唐伯虎有一個弟弟名申，字子重。一個妹妹，照例沒有名字，只能稱爲唐氏。這兄妹三人，個個眉清目秀，斯文秀麗，走到哪兒，人們的目光便集中在哪兒。

館娃宮中有一斜廊，據說這便是當年著名的『響屧廊』，唐妹妹奔上逐下，扮演西施，由於她氣質脫俗，唐伯虎常嘆氣：『西施再世，恐怕也比不上我家小妹。』

所謂響屧廊，又稱之爲鳴屐廊。據說它鋪著一層由梓木製成的地板，人一走過，發出琮琮之聲，十分悅耳。美麗絕倫的西施常領著一批宮女，在響屧樓翩翩起舞，她們穿的是木屐，頸上又戴著珠玉，人已經夠美了，再加上特殊的音響效果，西施眼波流轉回眸一笑，夫差怎能不醉？

西施還嫌不夠，她撒嬌的對夫差說：『大王不是說甚麼都依我嗎？我現在想要把美麗的月亮拿在手上玩兒。』

『這……』夫差不曉得該怎麼回答。可是，答應美人兒的話可不能不實踐啊，夫差苦惱萬分。

這時，有個最擅長於逢迎的臣子建議：『不如在山上挖一個池子，明月倒映在水中，這不就可以玩月了嗎？』

夫差拍手叫好，於是，命人在山上日夜趕工挖地，接著，又命人一擔擔挑水上山灌池，池建好了，西施也可以在月明之時，以手揚水中明月，不過，夫差的吳國江山也就丟了。

唐小妹妹除了貌似西施，她同樣也是蘇繡高手。蘇繡與湘繡、蜀繡、粵繡合稱爲中國四大名繡，蘇州婦女幾乎個個會繡。

根據蘇州自古流傳，古代有一位漂亮聰明的女子，新婚前夜，自己用手裁製了一件好美的新衣，一不小心，剪了一個小洞。情急之下，她在小洞上繡了一朵小花，相當別出心裁，襯托得衣服更爲美麗，以後，姑娘們紛紛效法，成爲著名的蘇繡。

蘇繡還有一件有趣事兒，如果媽媽用左手繡，女兒一定用右手，反之亦然，原來這是怕擋到光線。

唐伯虎的小妹，不但人長得漂亮，會繡花，更知書達禮，可惜很早就病逝了，眞可謂紅顏薄命。

蘇州除了蘇繡著名，手工業一向興盛，尤其宋徽宗成立了『造作局』，雕刻金、銀、玉、竹、牙、角、犀，帶動了手工業蓬蓬勃勃的發展。

另外，自三國時代，魏蜀吳中的吳國，開始對外發展，曾經派出婦女到日本傳授絲織與縫紉技術，有人說，日本的和服就是這麼來的，一直到今天，日本到處可見『吳服店』。

手工業興盛，商業興盛之下，自然帶動了飲食業，必須有閒有錢，才會懂得吃的藝術，蘇州精美可口的茶食有椒鹽桃片、玫瑰酥糖、雪花糕、核桃糕、山楂糕、桂花方糕、黑麻酥糖、米花糖、綠豆糕、桃酥、油棗、糖蓮子、南棗糕、松子糕、芝麻酥、麻粩、杏仁糕，此外還有各式乾果蜜餞，如核桃、杏仁、松子、瓜子、花生。

唐伯虎生長在如此人傑地靈的環境之中，難怪成爲才華卓絕的不朽藝術大家。

閱讀心得

【第947篇】

唐廣德望子成龍。

唐伯虎的父親唐廣德在蘇州開了一家酒食店，生意興隆，不過，唐伯虎與弟弟妹妹從來不在店裡幫忙，尤其是對唐伯虎，唐廣德總是催促他『有空多讀書，將來我們唐家就靠你光耀門楣。』

唐廣德爲愛兒重金禮聘名師教導，唐伯虎也自小流露非凡的才氣，小小年紀，四書五經、昭明文選，全部都讀完了，而且頗有心得。名師遇高足，心花怒放，到處誇耀唐伯虎有多麼優異，將來必是狀元，每聽到這話，唐廣德就開心極了，唐伯虎也一心巴望早日登第，滿足父親的願望。

其實，唐廣德並非胸無點墨的生意人，他讀過不少書，氣質優雅，平常講起話來引經據典十分斯文，也結交了不少讀書人。

但是，唐廣德有一件事十分氣悶，想起來就嘔。雖然酒食店高朋滿座，他永遠沒資格與官員同桌進餐，反之，即使是個連秀才也沒有考上，只考上了最低等的『文童』，在餐桌上也有一個座位、一副筷子。

唐廣德每遇此景，總是用『將來我的伯虎會上座』來安慰自己。

唐廣德望子成龍的心情，中國人一點也不陌生，『萬般皆下品，唯有讀書高』的觀念，牢牢的控制了中國人心。不過，『唯有讀書高』似乎應該改為『唯有做官高』更為貼切。

科舉制度在中國實行了一千三百多年，它舉拔了相當的優秀人才，王維、柳公權、文天祥都是科舉中的狀元，科舉的公平性，也讓廣大士人有了翻身的機會，所謂『十年寒窗無人問，一舉成名天下知。』

但是，凡事有利有弊，全國讀書人一古腦全投入科舉的競爭，做官又成爲唯一光宗耀祖的事，其中眞是血淚斑斑，中國的小男孩，打從剛認字開始，全家就把考中科舉的責任扣在他頭上，因爲，一旦家中有誰中了第、做了官，整個家族都會沾光，值得把整個人生放在這上頭。

考場中總有幸與不幸，有人金榜題名，也有人名落孫山。考中的進士，眞是如孟郊詩中形容的『春風得意馬蹄疾，一日看遍長安花』，不幸落第的可就悲慘了。

據說，如果能夠取到新科進士的舊衣服，來年考試中穿著赴試，將會帶來吉利，因此，新科進士不但人紅，連破舊的衣服，也抖了起來。可以想像，落第考生，聽著外頭一陣陣傳來的鞭炮聲，然後低聲下氣，央求旅舍中僕役設法購得進士舊衣，僕役揚著臉，擺出不屑的神情，落第考生心中滋味如何可想而知。

家中有一個考生，入京考試，全家人的心都懸在半空之中，登第的幸運兒畢竟有限，絕大多數是痛苦與失望的。

曾經有一個姓杜的讀書人，考了許多年，次次入京，次次落第，他總是用『五十少進士』安慰自己，意思是說，一個人到了五十歲考取進士，還算是年紀輕的。

這一回，姓杜的又落第了，他正準備收拾行囊回家，收到了妻子的一封信，這妻子也有幾分文才，卻是十分尖酸刻薄，她寫了一首詩：『良人的的有奇才，何事年年被放回，如今妾面羞君面，君若來時近夜來。』

這首詩的大意是說：良人啊你的的確確有文才，爲甚麼年年考不中，灰頭土臉的回家來，如今小妾我爲你感到害羞，你若是回來，最好趁夜晚歸來，免得被人看見了，不好意思。

這個可憐的姓杜的，看到妻子這封信，嚇得連家都不敢回了，只好困守京師，一次一次考，一次一次忍受挫敗的打擊。他也許會是一個不凡的藝術家，或是擅長經營的商人，可是在中國古代一元化只崇拜做官的價值標準之下，整個人生一片灰白。

唐朝有一個叫公乘億的人，因爲沒考中進士，無顏見江東父老，就這麼待在京師，一年又一年，愈考愈心寒，愈考愈不中，就這麼一待十幾年。

有一回，放榜之後，公乘億再一次落第，他實在承受不住，就在鄉館（京師中有各種同鄉會館）中病倒了，這一病，病得可不輕。有個同鄉回到老家，就對公乘億的妻子說：『你丈夫病死在京師，你趕緊去奔喪吧！』

公乘億的妻子，一聽之下，幾乎昏倒，踉踉蹌蹌上路，到了京師，找不到會館，忽然見到一個老頭，好面熟，有點像公乘億，可是怎麼背也彎了，肚子也大了。

公乘億病得是差不多了，卻還沒死，這一回上街，見一黑黑乾乾瘦瘦的老婦，也覺得似曾相識。

等到二人走近一看，再加上會館的人的介紹，這才認出彼此，想當年，郎才女貌，偏偏新婚燕爾，便趕來京師應試，一別十多年，慘喔，兩人不禁抱頭痛哭，不知分別如此長久所爲何來。

唐伯虎不負父望，十六歲那年考中了秀才，至少，他可以與官員同桌吃飯了，唐廣德十分欣慰。

閱讀心得

【第948篇】

張靈唐伯虎孔廟前打水仗。

唐伯虎的父親唐廣德一心盼望兒子能做官，唐伯虎十六歲那一年，參加秀才考試，得到第一名，正式向官場邁向第一步，唐廣德十分高興，在自己開設的酒食館大宴賓客。

從此之後，唐伯虎成爲蘇州府的學生員。唐伯虎有才氣，肯用功，自負得不得了，當他高中秀才，朋友們前來道賀，他一點也不謙虛，狂傲地說：『奇了，如果我考不上秀才第一名，那該甚麼人考上？』

唐伯虎這番話給傳了出去，惹得不少人反感。尤其是沒考上的讀書人，個個都批評，唐伯虎未免太不謙虛了。唐伯虎絲毫不在意，並且到處公開表示：『八股取士，哪兒能夠試得出眞正才幹？』

中國的考試制度，到了明朝變得非常僵硬，爲了便利閱卷，改用八股文取士，所謂八股是一種文體，也就是一篇文章之中一定用破題、承題、起講、提比、虛比、中比、後比、大結八個段落的格式。由於內容限定，格式相同，甚且連聯結虛詞也相同，實在發揮不了創意。

唐伯虎的見解是對的。不過，他如此放言高論，免不得又被人們指指點點，嫌他好發議論。

唐伯虎對天文地理音樂曆算都有研究。此外，當他初學寫字，老師就發現唐伯虎的書法好漂亮，當他隨意畫上幾筆，老師又驚又喜的到處宣傳，唐伯虎具有繪畫天分。

唐伯虎自幼被父母寵愛，被老師誇讚，他曉得自己人長得美俊體面，肚子裏也有貨色。言語行動之間，不自覺流露出強烈的優越感，他知道鄰里之中有人看不慣，問題是，那些凡夫俗子向來也不在他眼中，所以他完全全不在意。

唐伯虎自視甚高，不容易交到朋友，他考取秀才之後，遇到了同為蘇州府學生員的張靈。張靈姿容俊逸，是個標準的美男子，能詩能畫，性格豪放，他二人一見面就投緣，彼此親親熱熱挽著手臂，彷彿從小就認識一般。

當他二人互相交換詩文欣賞，旁人走過，忍不住又愛又憐注視這一對璧人，人漂亮，才高妙，彷彿人間的美好，全部集中在他二人身上，他們莞爾而笑，互相惺惺相惜。

每天放學，唐伯虎與張靈總是一塊離開，把許多人生的理想，腦中打轉的奇怪念頭，互相交換。他們邊走邊談，大笑出聲，惹得行人注目，這更讓他們得意了。

有一天，他二人肩並肩，互相嘲笑只懂得唸古書的腐儒，信步走到孔廟前，孔廟是讀書人最敬重之地，路過時無不莊嚴肅穆，快步通過。這二位青年故意要表現與眾不同，旁若無人的繼續大聲交談。

張靈說：『天氣好熱。』

『可不是嘛！』唐伯虎渾渾汗。

張靈慧黠的大眼睛閃了閃：『假如有冰水擦擦臉一定很舒服。』說著，他雙眼注視著泮池，所謂泮池是孔廟前的池塘。

唐伯虎了解張靈的意思，他先有微微不安之感，繼而在彼此感染氣氛之下，也用輕侮的語氣道：『不如我們到泮池中玩玩水。』

於是，兩位俊美的青年，脫下了鞋襪，自以爲英雄好漢的跳入了泮池。泮池的水冰冰涼涼的，光著腳丫踩著水，好清涼好舒適，他們捧起了水，輕輕啜口，忍不住高聲歡呼：『哇！太有意思了！』

既然下了水，索性玩一個痛快，張靈敞開衣領，唐伯虎撩起衣袖，蹲下身來，雙手捧起水，向張靈潑過去。張靈豈甘示弱，立刻也回敬過去。

他倆放浪形骸的舉動，簡直把路人嚇壞了，紛紛圍攏過來，指指點點。可愈是有人指摘，他二人愈要表示藐視規範、橫行無忌，他們繼續打著水仗，親熱的嬉笑，把青年人壓在心底想叛逆、想反抗、想摧毀一切禮教、想痛快發洩自我的種種心情，整個兒的全抖了出來。

這時，有個路人忍不住走近喝斥：『兩位年輕人，你們知道這是泮池，是孔廟莊嚴重地嗎？』

張靈扮了一個鬼臉：『否則我們就不在這兒打水仗了。』

『甚麼？』路人簡直不敢相信自己的耳朵，他驚駭得微微發抖，把孔廟的管理先生找來，結結棍棍訓了張靈唐伯虎一頓。

張靈與唐伯虎有蓬勃的精力，有狂放的性格，他們自以爲英雄，藐視一切限制，對於脫軌的舉動絲毫不以爲意，反而沾沾自喜。

這件事被唐伯虎的老師知道了，十分憂心的教訓他：『老子有一句話：民之所畏，不可不畏，你們並無惡意，可是，行爲輕率，你會遭到惡果，而這，實在是不必要的。』

張靈與唐伯虎聳聳肩不當一回事。

閱讀心得

【第949篇】祝枝山多長一根小指頭。

自從唐伯虎考取秀才之後，他的父親唐廣德對這個天才兒子益發有信心。唐廣德甚且時時在腦中打草稿，幻想著有一天，當唐伯虎果眞高中狀元時，他該如何在筵席中致答謝辭。

唐廣德家中開酒樓食堂，他自己最偏愛狀元糕，狀元糕是用米磨成粉，中間包芝麻、棗泥之類，以大火蒸成，香糯可口，不過，唐廣德喜歡狀元糕，倒不是爲了口腹之欲，而是討個吉利。

唐廣德遞狀元糕給唐伯虎之時，總會嘀嘀咕咕：『我們蘇州不但物產豐饒，工商繁榮，並且人文薈萃，例如晉人陸機、唐人陸龜蒙、宋人范仲淹，以後就看你的了。』

唐伯虎自己也歡喜作狀元夢，尤其他生得玉樹臨風、英俊瀟灑，可想而知的，一旦奪魁必然有達官貴人選爲乘龍快婿。新科狀元娶媳婦，那個『乘龍快婿』四個字可不是形容詞，船上會高高舉燈，寫著『翰林院』『狀元及第』，那分榮耀和威風是少見的。

船上張燈結綵之外，船頭放著一頂簇新的花轎，這木製精雕、金光燦爛的花轎，照例由八位壯漢扛抬。此外，樓船旁邊且有小船相伴，嗚嚦嗚啦吹著音樂助興，沿途之中多少民衆觀望鼓掌，這正是中國讀書人最爲艷羨的『洞房花燭夜，金榜題名時。』

每次想到這一幕，唐伯虎就心裡熱烘烘的，恨不得馬上金榜題名，但是，他到底生性疏懶，雖有才氣，卻不耐煩啃無趣的八股文，一直沒去參加鄉試。

十九歲那年，唐伯虎不待金榜題名時，就娶了一位徐姓妻子，第二年生了一個寶寶，這位妻子十分賢慧，夫妻感情也挺不錯，當然，唐伯虎的老婆，容貌秀麗不在話下。

可惜，這位徐氏紅顏薄命，在唐伯虎二十五歲那年，一場大病之後香消玉殞，唐伯虎十分傷心，寫了一首詩追悼亡妻：『撫景念曩昔，肝裂魂飛揚。』

二十五歲這一年，對唐伯虎而言，真正是流年不利，父親、母親、妻子，外加出生不久的兒子，乃至剛剛出嫁的妹妹相繼過世，他一口氣辦了五個喪事，生性多情的唐伯虎，被一次又一次的悲劇弄得腸斷心碎。

唐家只剩下一個唐伯虎，以及小弟唐子重。唐伯虎一向好面子、重排場，唐家在蘇州也是有頭有臉的人，喪事辦得不能寒酸，葬儀社的張老闆看準唐伯虎公子哥兒的性格，再加上他心情沉重，素來又不會討價還價，張老闆趁這個機會，狠狠敲了唐伯虎一大筆錢產。

唐家的酒樓一連出了五起喪事，店門外老是張貼著白紙，客人遠遠走避，深怕沾了晦氣。沒有多久，手藝精良的大廚師另有高就，擅長招呼客人的店小二接著請辭。負責採辦的小李一向油滑，平日靠著唐廣德的精明才制住小李，這會兒老闆走了，老闆娘也死了，留下的唐伯虎對餐飲完全是個門外漢，唐伯虎一向是君子遠庖廚，這輩子也沒進過菜市場，向來只懂得品嘗美味，他哪兒曉得一隻雞多少錢、一兩油多少錢，小李也知道唐伯虎是個大外行，放心大膽能撈就撈，能揩油就揩油。

一年下來，唐家的龐大家產幾乎耗盡，唐伯虎是個胸懷大志的人，實在也不耐煩掌理酒樓瑣事。

在心情最鬱悶的時候，幸虧還有幾個知己，如張靈、祝枝山、文徵明等可以談談心。在民間傳說之中，所謂『唐祝文周』，唐伯虎、祝枝山、文徵明都是確實存在的歷史人物，至於周文賓，則是虛構的小說人物。

祝枝山常常爲唐伯虎打氣道：『子畏，你的才氣高，發個狠考個功名吧，這樣的話，老伯也會含笑九泉。』

祝枝山名祝允明，字希哲，別人有十指，他卻多了一個小指，他也不自卑，開玩笑的自號爲枝山，又號枝指生。

祝枝山與唐伯虎一般天才橫溢，他五歲大的時候，就能寫直徑一尺長的大字。

當大人把棉紙攤開鋪在地上，五歲大的祝枝山握著大毛筆，飛快地寫了一個大大的『緣』字，大家都拍手叫好。有個親友跑過來，摸了一把祝枝山的頭道：『你這麼小，字寫得這麼好，道理在哪兒？』

祝枝山伸出小手，神氣的說：『我比別人多了一根枝丫。』

祝枝山的爸爸媽媽本來以此爲羞，總認爲他該把手藏起來，背在身

後，不料，祝枝山竟然以此爲榮，不以爲是缺陷，父母也就放心了。

九歲的時候，祝枝山開始寫詩。再長大一點，博覽群籍，文章帶有奇氣，經常在筵席之中，朋友出一個題目，祝枝山拿起筆來，大筆一揮就是一篇絕妙的好文章。

可想而知的，祝枝山有才氣，也相當自負，這一點與唐伯虎一樣，難怪同類相聚，兩人會結爲莫逆。

閱讀心得

【第950篇】

方志打壓唐伯虎。

唐伯虎二十五歲那年，惡運接連不斷發生，父親、母親、妻子、幼兒、妹妹相繼謝世，五個喪事辦下來，家產幾乎耗光，唐伯虎身心俱創，幾乎也活不下去了。

幸虧身旁幾個好朋友不斷安慰、鼓勵、打氣。祝枝山對唐伯虎說：『馬上就是科考了，你趕快準備一下，朋友之中，你的才情最高，我們都看好你，別讓大家失望。』

唐伯虎嘴角滲出一絲苦笑：『這二年來，我整個人浸在喪事之中，也該擦乾眼淚，好好振作起來。』說著，唐伯虎拿起桌上新寫好的一首〈夜讀〉交給祝枝山。

祝枝山朗聲唸道：

夜來欹枕細思量，獨臥殘燈漏轉長。
深慮鬢毛隨世白，不知腰帶幾時黃。
人言死後還三跳，我要生前做一場。
名不顯時心不朽，再挑燈火看文章。

這首詩的意思是說，我半夜醒來偏倚靠著枕頭心中細細思量，一個人睡在床上，傾聽巡夜人敲更的梆子聲，我深深憂慮鬢角的白髮已經出現，但不知何時能換上官服的黃腰帶。有人說，人死後不甘願辭世，還要跳上三跳，我要趕著生前，好好做它一場，非到名聲顯揚不甘心，因此我又起身挑燈夜戰準備考試。

祝枝山翹起大拇指讚道：『好，預祝你金榜題名。』

所謂『科考』，指的是鄉試前一年，所有秀才必須參加的資格考試。

孝宗弘治十年，朝廷派遣監察御史方志前來江南主持科考。

方志，人如其名，方方正正志向遠大，他很喜歡自己的名字，認爲這代表自身的耿介。方志是標準的讀書人，非常重視禮義廉恥，他看不起舞文弄墨的詩文，他常引用孔夫子的話：『弟子入則孝，出則弟，謹而信，汎愛眾，而親仁，行有餘力，則以學文。』

這句話的意思是說：『弟子在家要孝順父母，出門要恭敬長上，言行當謹慎信實，廣博的泛愛衆人，親近有仁德的人，如此修行有餘力，再向詩書六藝上用心。』

當方志準備起身前往江南之時，有個不識趣的朋友張夏半開玩笑的說：『方兄，你可知爲何古來皇帝總愛夢江南，不只是江南山明水秀，最重要的是江南佳麗太迷人了，多的是秀秀氣氣、削肩細腰、俊眼修眉的美人兒，遠非北方姑娘所能比得上。』

方志咳嗽一聲，臉上露出不悅的表情，但是，張夏渾然不覺，繼續往下說：『蘇州妓女是天下一絕，她們見多識廣，風度優雅，秀色可餐也，你一定得去享樂一番。』

方志終於忍不住了，他把臉一正道：『我生平最看不起的就是這種文人無行。』

張夏聳聳肩，兩手無奈一攤：『好，算我沒有說。』

方志到了蘇州，他也發現張夏所言不虛，蘇州城裏的姑娘一個個容貌姣好，亭亭玉立，那一分斯文閒靜，是其他地方看不到的。不過，方志一向律己甚嚴，非禮勿視，頂多不經意的看一眼畫舫姑娘，當然，妓院是絕不會去的。

方志到了蘇州，少不得入境問俗，打聽當地知名人物，十個有九個都會提到唐伯虎，唐伯虎人長得俊俏，又有一身才氣，還從不知收斂，最喜歡出風頭。一般守舊又才智平庸的讀書人早就看他不慣，因此，紛紛背後批評：『這個人是成天泡在妓女院中的。』『他自認爲是天下最風流的人。』『唐伯虎反對四書五經，最愛風花雪月的詩詞。』

凡此種種，都讓方志聽著不悅耳，當他聽到唐伯虎與張靈曾經光著腳丫子，跳到孔廟前的泮池中戲水，他真是受不了，霍然站起來宣布『如此紈袴子弟，管他卷子答得如何，我是絕不會讓他錄取的。』

這個消息傳到唐伯虎的耳中，嚇得手腳發軟，全身冰涼，他虛軟的倒在椅子上，喃喃道：『完了，這下仕途不全都完了。』

文徵明不平道：『卷子都還沒看，就先下了定論，這未免太過分了。』過了一會兒，文徵明冷靜下來，前前後後想了一遍道：『蘇州知府曹鳳，算起來是我的父執輩，我找他幫忙去。』

曹鳳平日就很欣賞唐伯虎的文采，立刻一口答應，第二天一大早，登門拜訪方志。方志先是一副有理不能讓的神態，曹鳳也拉下臉來：『就算唐伯虎科考不第，科考之後朝廷還有補救的錄遺，到時候一定錄取，人們會不會說方兄私心太過。』

方志心裏想，曹鳳是蘇州知府，犯不著得罪他，所以，勉強答應了。不過，心中有氣不能不發洩，從此以後方志到處宣傳唐伯虎作風荒唐。在方志看來，他自己是在替天行道。

閱讀心得

【第951篇】

唐伯虎家有惡妻。

由於方志的打壓，唐伯虎差一點在科考之中名落孫山。受到這個教訓之後，唐伯虎摒棄一切，在家中閉門讀書。第二年，二十九歲那一年，唐伯虎終於如願以償，高中南京鄉試第一名解元。

這次的主考官是太子洗馬梁儲。梁儲發現唐伯虎的文章磅礴激健，雅潔深秀，不禁嘆氣道：『眞是想不到江南出現這般奇特之士。』

梁儲自己有才氣，也欣賞有才氣的唐伯虎。他命人把唐伯虎的試卷抄了一份，鄭重其事的對人說：『我要把這份試卷帶到京裏讓大家傳閱。』唐伯虎對自己一向自信滿滿，被梁儲這麼一誇更是整個人飛了起來，他寫了一首詩『三策舉場非古賦，上天何以得吹噓。』

經過了這場鄉試，唐伯虎對於明年進京會試勝券在握，蘇州的鄉親也都如此盼望著。

既然唐伯虎頗具狀元相，他的夫人又已經過世，自有媒人絡繹不絕上門來，一掃父母親過世之後的冷落。沒多久，唐伯虎娶了一位仕宦之家的大小姐何氏，她形體俊美，體態嬝娜，與唐伯虎走在一塊就是一對璧人。新婚燕爾，小倆口也快樂了一陣子，兩人一塊作夢，夢想一年之後，一個是新科狀元郎，一個是人人羨慕的狀元夫人。

有一天，唐伯虎啃八股文，實在啃得累了，順手拿起筆來，畫了一張仕女圖，畫中的美人兒栩栩如生，畫的正是美麗可人的唐妻，唐伯虎得意萬分，捧著這張畫到夫人面前獻殷勤，在他想來，唐妻不曉得該如何如何興奮，一定會親他一個笑得樂呵呵。

不料，何氏兩眼直瞪瞪的瞅了他半天，氣得說不出話來，用指頭狠命在他額頭上戳了一下，『哼』了一聲，把畫往他懷裏一摔，一張臉兇得像個母夜叉，嘟嘟囔囔道：『還剩幾天就要進京了，你還有閒情作畫？你有沒有爲我設想過？』

從此以後，開始冷戰三天。唐伯虎覺得好委屈，何氏更是氣壞了，從早到晚拿著帕子擦眼淚。

唐伯虎傻了眼，心想，假如明年高中也就罷了，否則，一定天天開戰，他不曉得為甚麼運氣這麼背，討到如此不可理喻的惡妻，想唐伯虎如此俊俏風流，真是瞎了眼睛。

當天晚上，唐伯虎實在無心啃四書五經，隨手拿起一本唐人所寫的《因話錄》，其中有一段真實的故事：

唐朝有一個人，名叫趙琮，他娶了一個妻子是鍾陵守將的千金。新婚沒多久，趙琮入京趕考，這一去就杳無音訊，趙琮年年名落孫山，也就只有一年熬過一年……

趙琮入京之後，趙妻搬回娘家住，鍾陵守將家境豐裕，自然不愁多一個人吃飯。但是，這個女婿年年不第，久而久之，連家中的下人也對趙妻白眼相向。

唐朝人歡喜打扮，唐朝婦女都是珠光寶氣，趙妻的髮簪首飾都典當光了，換取一點小小的零花用。嫁出去的女兒是潑出去的水，她也不好意思向父親開口，因爲父親也不會答應的。

有一年元宵佳節，軍隊中有高官請來戲園子唱戲，並且在廣場之中搭棚，凡是有頭有臉的人家都搭起了帳棚，看戲之外，也是各家家眷爭奇鬥妍的時刻。

趙妻怯生生對爸爸說：『我也想去看看熱鬧。』

『不行，你瞧你一身寒酸相。』守將一口拒絕。

『那我躲在布簾後，和廚房的師傅在一起。』

『好，你就跟下人在一塊，可不許出來丟人現眼。』

守將瞪了女兒一眼，快步走了出去，趙琮這個女婿不成材，害守將每次見到女兒就覺得心煩。

元宵節的戲唱了一半，忽然有節度使派人快馬來找守將。

守將心驚肉跳，快馬趕到節度使前。

節度使問守將：『趙琮是你甚麼人？』

守將心想，該死，一定是趙琮在京裏惹了事，連連撇清：『趙琮是小婿，不過流落在外，久不通音訊。』

節度使笑答：『別急，趙琮進士及第。』說著，把手中的榜書交給守將，守將擦擦眼，仔細看看沒錯，謝過節度使之後，又飛奔折回廣場。

守將騎著馬一路高喊：『趙琮及第……』這時家中親友連忙撤去帷帳，把趙妻迎了出來，有人送披肩，有人急忙把髮簪插在趙妻頭上，還有人取出脂粉幫她上妝。

於是，本來被迫關在帷帳後面，跟著下人打雜的趙妻，立刻成為座中首席，父母向她敬酒。

看到這兒，唐伯虎原諒了妻子，整個社會大環境如此，他怎麼能怨嘆家有惡妻。

閱讀心得

【第952篇】

唐伯虎進京趕考。

明朝弘治十二年，自信十足的唐伯虎入京趕考，他臨走之前，摟著愛妻的腰肢道：『等著當狀元夫人吧。』

與唐伯虎結伴南行的是徐經，徐經肚子裏也很有些墨水，同樣是個翩翩美男子，他二人是在遊湖時認識的。彼此都仰慕對方的丰采，一見如故，結成深交。這一回同時參加科舉，蘇州地方人士都等著他們光耀門楣。

唐伯虎雖然表現得一臉不在乎，心頭上的壓力還是沈重無比，他對徐經說：『到了京城裏，咱們找一個地方安靜下來，趕快再溫習一下功課吧。』

徐經卻搖搖腦袋，以權威的口吻說：『一個人能否平步青雲，仕途坦蕩，重點不在於學問，而在與權貴的交情，我們不妨利用考前的時間，多多拜會大老。尤其閣下的才名，經過梁儲的宣揚，多少人等著見你這位江南才子，怎能不露露臉。』

唐伯虎被徐經這麼一吹捧，心裏頭樂滋滋，他這個人又一向愛熱鬧，歡喜交朋友，所以馬上就改口：『對對，是該去見見前輩，開開眼界。』

徐經笑道：『這才對嘛，你看，我帶了大批江南土產，爲的是甚麼？』

唐伯虎看到徐經連禮物都打點好了，推了徐經一把：『老兄眞是策劃周詳，心思細密。』

徐經昂首一笑：『可不是嗎？』

到了京城，住進旅舍，到處都是前來趕考的舉人，彼此表面熱烈的寒暄著，暗地裏互相打量，等著一決勝負。科舉的優點是公平的拔舉人才，缺點是優秀青年的成敗榮辱全部押在裏面，成爲你死我活的爭奪戰。

唐伯虎與徐經原本氣質非凡，看起來與衆不同，穿著打扮又特別講究，他二人各跨一匹鞍轡鮮明的大白馬，後面跟著六名家僮，手裏捧著精美的江南名產，一路上行人指指點點，所謂『白馬王子』當如是也。

他二人到了太子洗馬梁儲的府宅，梁儲原是唐伯虎參加鄉試的主考官，對唐伯虎欣賞得不得了，他親切的握著唐伯虎的手，由衷的讚嘆著：『這一戰而霸，是一定的了。』

唐伯虎報以謙虛的微笑，心中禁不住得意，這『一戰而霸』四個字用得妙，於是奉上了一座精緻的小小的花梨屏座。

梁儲一邊把玩著，一邊誇道：『果然細緻，范仲淹曾言，天下之有學自吳郡始，蘇州讀書人的文玩也特別多。』

徐經接著說：『可不是嗎？蘇州象牙、紫檀、銅、瓷、玉器無一不精，算是相當有特色的古玩。』

由於氣味相投，三個人聊得好開心，最後，他二人離座長揖：『末學後進，還要請老前輩多多指教。』

梁儲也還了禮，笑嘻嘻送別兩位年輕人，心中高興的想著：『多俊的兩個青年，這場大比就看他們的了。』

拜別梁儲出來，唐伯虎感激的握著徐經的手道：『多謝兄台，這些禮物全是你破費的，不知何以爲報？』徐經昂首大笑：『等你當了狀元還愁不能報答嗎？』然後感嘆道：『這該謝謝我父親，他爲我準備如此華麗的行裝，如此寬裕的費用，讓我們能夠在北京城大舉結交，廣通聲氣。』

離開了梁宅，他倆又去拜見李東陽。

李東陽，字賓之，湖南茶陵人，天順年間進士。他也是個天才兒童，他才四歲大時，就寫得一手好書法。明景帝聽說京城裡出了一個小天才，特地召見試試看。

小李東陽進來了，胖嘟嘟的，紅咚咚的，穿戴整齊，一搖一擺往前走，因爲才四歲，腳步不太穩，有點像個小鴨子。

雖然是個小不點，卻毫不驚慌，肥肥軟軟的手用力握著筆，棉紙鋪在地上，他大筆一揮，寫了一個直徑一尺的『福』字，圓潤、飽滿、有力，眞不像是四歲小寶寶寫的。

景帝好喜歡李東陽，招招手，喚他過來。李東陽來了，景帝將他一下子抱在膝蓋上，親切的問道：『你是不是小胖子？』

『是！』李東陽嗓音輕脆，大家都笑了起來。

『小胖子幾歲？』景帝又接著問。

『四歲。』

接著，景帝又問他還會寫甚麼字，家裡有些甚麼人，景帝逗著他玩了半天，才依依不捨放他走。

李東陽歷任禮部尚書，文淵閣大學士，他工於古文，典雅流麗，朝廷大著作多出自其手，他又工篆隸書，多才多藝。

唐伯虎頗以才學自負，但是，想到馬上要見到李東陽，他還眞是又緊張又興奮又不安。

閱讀心得

【第953篇】

明朝科舉嚴防作弊。

唐伯虎與徐經入京趕考，徐經主張應該多結交權貴，爲日後仕途鋪路，因此他二人見過了梁儲，又來到李東陽府弟。

唐伯虎對徐經說：『聽說東陽先生原本飲酒有海量，初官翰林之時，常飲酒至深夜。有一回，他大醉而歸，發現父親在冬夜之中守候，心中不忍，當下決定滴酒不沾，可有此事？』

徐經道：『確有此事，東陽先生尤愛提攜後進，胸襟大度，讓人佩服。』

他二人遞了名帖，李東陽親自出迎，並且爲家中其他客人一一引見：『這位是唐伯虎，是今年的南元也。』

所謂『南元』，鄉試第一，稱爲『解元』，江南乃人文薈萃之地，南闈向爲人們所看重，因此稱爲『南元』。

李東陽又指著徐經介紹：『徐家乃江陰著名富人之家，才具不凡。』

唐伯虎的大名，經過梁儲的吹捧，座中客人早已耳熟能詳。這一回見到本人，丰神俊逸，吐屬雋妙，論詩文、談文物，從容周旋，談笑風生，一片歡洽熱鬧。

拜見過李東陽，他們又挑了日子去見程敏政。

程敏政與李東陽一般，同樣是少有神童美譽，他父親程信原任南京兵部尚書，後來到四川爲官，巡撫羅琦聽說程敏政的文才，獻寶似的推薦給明英宗。

明英宗當場給程敏政考了試，發現果然不同凡響，命令他以後在翰林院讀書，還發給糧食。這一年他才十歲。

程敏政既然如此優秀，眼看前程無量，朝中人自然爭相交結，十多歲時，學士李賢就把愛女嫁給了他，程敏政果然也不負衆望，咸化二年進士及第。

程敏政家世優越，才情又高，走到哪裡，頭都抬得高高的，也不太瞧得起一般凡俗之輩，所以人緣奇差。但是，他的眼光是精確的，心腸是溫熱的，所以，他毫不猶疑的接見唐伯虎與徐經，並且極力讚美。

接連下來幾天，他二人又拜會了吳寬等蘇州前輩，以及吏部尚書倪岳等人。

這時候的唐伯虎，耳朵裡聽到的，全是一片讚美之聲，心裡頭感受到的，全是熱烘烘的溫暖。缺乏閱歷的唐伯虎沒有想到，舉凡梁儲、李東陽、程敏政都是才德兼備的謙謙君子。因爲他們有才情，他們才懂得愛才、惜才、憐才。因爲他們有道德，他們氣度寬廣，樂於見到青年才俊出頭。不過，這並不是世間經常有的美事。

對於其他考生而言，徐經與唐伯虎的囂張，不僅是反感，簡直是厭惡到了極點。任何二、三個舉子在一起，都可以把他二人狠狠數落一番，偏偏他二人渾然不覺，大聲講話，放縱狂笑，沾沾自喜。

這一回，朝廷點中的主考官正是程敏政與李東陽，難怪人們議論紛紛：『唐伯虎當狀元是囊中取物嘛。』

依照規定，會試一共考三場，每場連入闈出闈各三天。

明代考場戒備森嚴，科舉制度左右考生全家族的榮辱，難免有人想作弊，中國考場的作弊史那眞是洋洋大觀。

明代八股取士，最講究引經據典，既然要引，就不能錯一個字。因此，考生千方百計設計小抄，把四書五經抄在小紙條上，塞到鞋底、腰帶、襪子、帽子，甚且就寫在衣服背面，趁著老師不注意，偷偷抄上一段。這種作弊的心情滋味，凡是學生當都能體會。

明朝為了防止作弊，動用士兵搜查考生，士兵們一輩子沒資格應考，也永遠當不成大官，難得有這個機會，修理一下未來的大官，所以搜身十分嚴格。

唐伯虎雖然聽說了搜身這件事，親身經歷，仍然不能接受，進入考場之前，門外站著二名兇神惡煞的搜檢軍，惡狠狠對著考生，考生一個個輪流接受檢查。

這個檢查可嚴格著，先把頭髮整個摸過，確定裡面沒有藏紙條，然後，考生把衣服解開，從頭到腳，仔細搜身，不論肚皮、膝蓋，不論腳趾、肛門一一查遍。

唐伯虎被摸得渾身不自在，這簡直是斯文掃地嘛，太羞辱人了。他想

起明太祖朱元璋曾經說過：『這些考生又不是強盜土匪，怎麼如此搜身？』

不但唐伯虎，其他考生一樣被摸得全身雞皮疙瘩，但是，誰也不敢有所怨言，到底，這也是爲了維護科舉制度的公平，任何事都有利有弊啊。

閱讀心得

【第954篇】

程敏政涉嫌考場洩題。

唐伯虎終於來到京城，參加科舉考試，他自信十足，志得意滿，甚且他的畫上，已經蓋上『南京解元』的圖章。

明朝科舉防弊甚嚴，唐朝時代，大詩人王維曾經向公主自薦詩文，成爲頭名狀元，唐朝試卷是不彌封的，亮敞敞的讓主考官看。到了宋代，把考生的名字給糊了起來，防止考官徇私。到了明朝，不但彌封試卷，試卷拆封之後，還讓人整個抄過，再拿給主考官閱卷，免得主考官認出考生的筆跡，或者考生在試卷之中暗藏玄機，與考官互通聲氣。

這次考試的題目是由程敏政與華昶一塊命題的，其中最難的是第三場考策論，一共五道題，其中有一道題『四子造詣』十分冷僻，一般考生都抓耳撓腮，不知該如何下筆。

唐伯虎倒是運氣不錯，他一眼就看出這道題的出處，洋洋灑灑寫得十分盡興。唐伯虎是個藏不住話的人，一出了場，忍不住眉飛色舞大大吹噓。其他考生對著卷子發呆已經夠難過的，再看唐伯虎滿臉飛金的模樣，心中當然更不是滋味了。

其中一個考生不免酸溜溜的說：『也許他早就知道題目了。』

這話一傳開，其他考生也心有同感，就是嘛，你我都十載寒窗，日夜

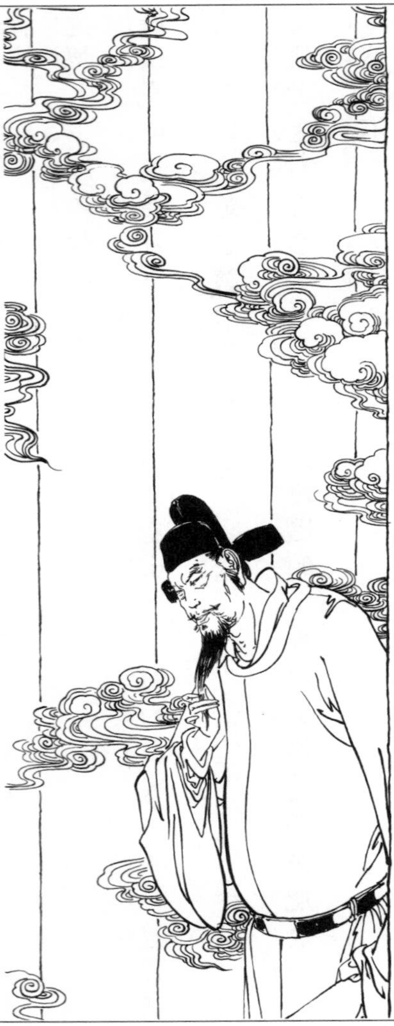

苦讀，也未曾見過『四子造詣』，怎麼唐伯虎這麼一個不甚用功讀書，派頭十足的公子哥兒倒能破題，分明其中大有文章。

幾天之後，程敏政閱卷之時，一面看卷子，一面大搖其頭，口中連連不斷的嘆氣：『哎，程度太差了。』一直讀到最後，有兩份卷子，不但切題，而且文辭典雅，程敏政一拍大腿道：『這一定是唐伯虎與徐經的卷子。』

此話一出口，大禍釀成，一旁的給事中華昶立刻連夜上書明孝宗，彈劾程敏政，控訴他接受賄賂，洩漏試題。

原來，程敏政與華昶分屬於朝廷之中兩派勢力，這一回，朝廷派了李東陽、程敏政擔任主考官，已經讓華昶這一派不是味道，尤其唐伯虎與程敏政走得如此近，未來唐伯虎一定是程敏政這一派的要角，並且這一對座主門生的關係想必十分親密。

所謂座主就是主考官，中國社會由於重視科舉，重視狀元及第，連帶的，主考官在社會上地位崇高，無與倫比，及第的進士爲了感謝主考官的青睞，自稱爲門生，也希望考官日後多多提拔照顧。

當然，這一方面也是中國人飲水思源的報恩觀念，唐朝大文學家柳宗元曾經說過：『凡是自稱爲門生，而不知道報恩的人，簡直不配被稱爲人。』

通常來說，門生對座主是一輩子效忠到底，互相吹捧，你抬我，我抬你，匯合成爲一股勢力。

唐朝崔群有一次與夫人在花園之中閒聊。

夫人問崔群：『你何時爲我們的兒子在各地置莊園？』

崔群笑一笑：『我早已在全國各地，設置了三十處美不勝收的莊園。』

夫人很生氣，責問道：『奇怪，我怎麼不知道。』

崔群哈哈大笑：『前年我當主考官，錄取了各地三十名考生，這不就是三十處最美麗的莊園嗎？也是我們子孫後代最可貴的資產啊！』

崔群的話，充分表露了座主與門生之間親密的網路關係。

唐伯虎太優秀了，他的才氣逼人，誰都看得出來。他的熱情念舊，也是大家都能一旁觀察到的。唐伯虎來到京城，沒有拜會華昶，華昶已經不開心了，他也私心盼望，有這麼一個露臉的門生，所以酸葡萄心理一發作，馬上就向皇帝參了一本。

明孝宗早朝之時，看到了奏章，大吃一驚，科舉是全國矚目之事，出了洩題案，全國都會沸沸揚揚，孝宗又是最重視道德操守的人，當下決定，命令程敏政離開闈場，停止閱卷工作，改由李東陽閱卷。

同時，華昶一派的官員，紛紛落阱下石：『唐伯虎是梁儲的得意門生，梁儲一天到晚吹捧唐伯虎，大力向程敏政舉薦。前些時日，梁儲奉旨出使江南，唐伯虎出面擺酒餞行，席上彼此唱和題詩，唐伯虎還準備把這些詩印成集子，請程敏政作序，程敏政也答應了，可見這批人結為朋黨。』

古代中國皇帝最怕人結朋黨，成爲小圈圈、大力量，明孝宗一聽，無名火起：『這是文人無行。』

於是明孝宗下令，把程敏政、唐伯虎、徐經一塊逮捕入獄。

閱讀心得

【第955篇】

唐伯虎的冤獄。

由於程敏政在閱卷之時，一時興奮，脫口而出：『這兩份卷子答得如此之好，一定是唐伯虎與徐經的。』華昶據此向明孝宗參了一本，於是孝宗下令，程敏政停止閱卷，徐經與唐伯虎逮捕下獄。

程敏政的閱卷改由李東陽負責，事實上，後來發現，程敏政讚美的這二份卷子，根本不是徐經與唐伯虎的。按理說來，這件洩題案水落石出，應該可以告一個段落了。

華昶這一派，卻緊咬不放，非把程敏政鬥倒不可。再加上明孝宗個性嚴謹，素來痛恨文人無行，也認爲該給唐伯虎這種輕薄讀書人一點教訓，因此程敏政、徐經、唐伯虎一起留在牢裡。

唐伯虎直直的躺在牢裡，他心想，他一定是在作夢，在作一個最壞最糟的惡夢。可是牢房裡的尿騷惡臭，一陣陣襲來，又是這般眞實。天啊，唐伯虎心中吶喊著：『我怎麼沒當狀元，反而成了階下囚呢？』

『吱呀』一聲，獄卒來了，丟下一碗牢飯。唐伯虎端起來，只覺得噁心，黑黑的、髒髒的，還有一股腥味，不曉得是甚麼難吃的東西，因爲實在餓極，他勉強塞入一口，『哇』一下，全部給吐了出來。

想唐伯虎自幼錦衣玉食，家裡開酒樓，蘇州人又一向特別講究美食，

即使後來家道中落，他在飲食上也絕對精細。誰能料到翩翩濁世公子，居然會淪落到吃牢飯，唐伯虎簡直恨不得一頭給撞死。

第二天一大早，公堂開審，中國人一向最愛看熱鬧，何況是公審南元，南元是江南地方選出來的解元，唐伯虎又是出了名的風流瀟灑，自然格外轟動。

唐伯虎自幼俊美體面，從來最愛出風頭，從來最愛人們緊盯著他不放。今天，頭一回，他想用衣服蓋住臉，或者，找個地洞鑽進去。

他聽到人群之中傳來的刺耳批評：『喏，原來那位白面書生就是唐伯虎，人長得不壞嘛，幹甚麼作弊？年輕人眞是不學好。』

唐伯虎委屈萬分，他當下就想跑過去分辯：『沒有，我沒有作弊，憑我唐伯虎也用不著作弊。』

唐伯虎覺得自己一顆心都碎了，他再也無法從從容容、瀟瀟灑灑，他覺得腦子裡『嗡嗡嗡』，彷彿一窩蜜蜂在叫。突然之間『砰』的一聲，驚堂木的聲音嚇住了唐伯虎。

公堂之上，面目陰森的主審官問唐伯虎：『你就是舉人唐寅？』

『是的。』

『現在你不是舉人了，還不趕快跪下來。』主審官瞪著眼睛喝斥。

唐伯虎正在遲疑，立刻有兩個衙役向前，將唐伯虎撳翻在地。唐伯虎萬般無奈，一抬頭，發現徐經也正跪在一旁。

主審官用鄙夷的口吻訓斥：『你二人身爲舉人，竟然賄賂主考官，買通關節。』

『沒有的事。』唐伯虎著急的抗議：『事實上，後來查出來，那兩份卷子也不是我們的，應該可以案情大白。』

『哼！』主審官不以爲然道：『你們不是到京師之後，忙著拜會程敏政，你們不是刻印了一本詩集，央請程敏政作序，他也答應了。』

『沒錯。』唐伯虎平靜的解釋：『這些全是正大光明的來往，並沒有行賄洩題。』

『不用刑你們是不會招的。』主審官沉著臉道：『你二人存心抵賴，也怪不得本官無情，來人啊，先打四十板再說。』

主審官一聲令下，兩個衙役上前，用力脫下唐伯虎的下衣，另外兩個行刑的差役，一左一右，用力拍打，並且數著『一啊一』、『二啊二』，聽起來彷彿在拍豬肉一般，可怕極了。

唐伯虎是何等細皮嫩肉嬌滴滴的美男子，才挨個十板，整個人就軟趴趴的癱了。

一看犯人昏厥，差役很有經驗，馬上取來一碗冷水，滿滿含了一口，『啐』的一聲，噴在唐伯虎的臉上。

唐伯虎人醒了，臉上全是冰冷的臭口水。差役又開始毫不留情的開打，打得他直冒冷汗，牙齒不斷打顫，額頭上汗如豆大。

主審官再問：『招不招，不招再打。』

唐伯虎知道，再打下去，他的命就完了，因此淒厲的喊道：『學生願招。』

唐伯虎痛徹心肺，昏昏沉沉，伸出虛軟的手，在供詞上畫了押。

閱讀心得

【第956篇】

唐伯虎遭到妻子奚落。

唐伯虎在屈打成招之下，被罰降爲浙江小吏。徐經革去功名，廢爲庶人。程敏政漏題失職，罷去官位。這一場冤獄就這麼草草定案了。

程敏政打從十歲被視爲神童開始，一帆風順，他自問沒有做錯任何一件事，在閱卷之時，他忍不住脫口而出叫好的二份卷子，根本不是唐伯虎、徐經二人所寫的，案情應可大白，他不曉得爲甚麼會下獄，也不曉得爲甚麼罷官。

出獄之後，程敏政從此不再有笑容，那蒼白的臉色，深鎖的眉宇，時時可以聽到的長吁短歎，讓家人十分發愁。

『你心裏苦，不妨哭出來吧。』程夫人安慰道。

程敏政開始哭，大哭特哭，一面哭，一面用力捶胸：『我這就叫多言賈禍，我幹甚麼如此多嘴，當時不講那句誇獎的話，不就甚麼事也沒有。』

程敏政不能原諒自己，也痛恨對手鬥爭的狠毒，他大聲痛哭，哭得渾身發抖，哭得氣促聲斷，沒有多久，程敏政魂歸西天，他受不住如此殘酷的打擊。其實，這件案子誰都清楚他是冤枉的，如果他沈得住氣，潛沈幾年，重新復出的可能性不是沒有，可是程敏政自幼受英宗賞識，師長愛護，以文章、以德行名重一時，他闖不過這一關。

同樣的，唐伯虎也受不住這沈重的一擊。

此刻的唐伯虎眼光呆滯，神情落寞，早已看不出原先的玉樹臨風、顧盼自雄，他也是無限委屈，痛恨人心險惡。

唐伯虎在寫給文徵明的信中，吐露了內心的懊悔：『我當時如同基礎不穩固的城牆，人人側目，自己還得意，我從容微笑，不知道已身陷虎口，小人的讒舌遭來了天子的震怒，監獄中身貫三木（三木是古代套在犯人頭頸、手、足的刑具），獄吏如狼虎般兇暴，舉頭搶地，哭得我涕泗滂沱。』

唐伯虎終於明白，中國社會之中『滿遭損，謙受益』的古訓，可惜，大錯已經鑄成。

至於被罰為小吏，擔任官府之中管理簿書檔案的小公務員，這件事，唐伯虎不肯幹，他甩著衣袖道：『我寧可賣畫為生，也不屈就小吏。』他晚上睡在床上，心潮起伏，難以入睡，無邊的悔恨交加，如利爪一般，撕裂著唐伯虎的心。

唐伯虎該回家了，他一想到回娘家等好消息的何氏，就恨不得自己可以賴在床上，永遠永遠不要起來。

自從唐伯虎入京趕考，何氏便回家守候，因為唐伯虎乃江南解元，頗具狀元相，所以，何家人都用現成狀元夫人的眼光看著何氏。

何氏對未來抱持無限信心，何父同樣十分樂觀。何父對女兒說：『咱們可是官宦世家，唐伯虎不過是開酒樓的白衣秀才，如果不是他文才高，中了解元，馬上即將取得功名，我們何家哪兒會與唐家聯姻。』

何氏也笑咪咪的回答父親：『我相信，報喜的馬上就會來了。』

『記著，準備一些賞銀。』何父丟下一句話，也在盼著唐伯虎的好消息。

春試已經放榜，報喜的始終未來，何氏著急的在花園裏轉來轉去，她一個人待在房間裏，簡直是坐不住。

何氏正在著急，張靈突然來了，一向玩世不恭的張靈，今天卻是愁眉深鎖：『都元敬有信來，信中提到，唐兄因爲牽涉到試場弊案，已經逮捕下獄。』

何氏一聽，立刻昏厥，幽幽醒來之後，手腳冰涼，汗流浹背，她心裏空空的，拖著腳步向前，這個世界似乎與她無關。何家上上下下都知道了，何氏十分惶恐，不曉得該怎麼辦，連一向最疼愛她的父親也不客氣的下逐客令：『你還是早點回到唐家吧。』

何氏回了家，滿肚子的委屈與不滿，她從小脾氣就不好，這會兒更氣得到處摜東西，一面丟，一面罵，她不知道，爲甚麼這般命苦，守了半年的空房，換來一個坐過牢的丈夫，這樣窩囊，害她丟盡顏面的丈夫，眞是不要也罷，她原先還指望妻以夫貴的呢。

唐伯虎終於回來了，一臉的落寞呆滯，眼中閃爍著淚光，他受傷慘重，他此時此刻，多麼需要妻子的安慰。

何氏一言不發，燙了一壺酒，用最不自然的聲音數落：『官人一定記得，當初講好的，待官人金榜題名歸來，咱們夫妻同醉一場，共飲狀元紅，請官人喝了這一盃狀元紅吧！』

『不要再說了！』唐伯虎痛苦的喊了一聲，用乞憐的眼光望著何氏，希望她住口，不要再說下去。

『你不喝，我喝。』何氏一飲而盡：『我眞是好福氣，嫁了這樣一位坐過牢的才子，眞是前世修來的福氣。』

唐伯虎受不了，拿起酒杯往地下一扔，他悲哀的發現，沒有功名之後，美麗嬌艷的妻子變成了母夜叉。

閱讀心得

【第957篇】文徵明情深義重。

唐伯虎一心以爲能夠高中狀元，衣錦榮歸。不料遭到冤獄，帶著創傷，回到蘇州。

唐妻何氏天天哭個不停，唐伯虎忍耐不住，終於大吼道：『你可不可以不要哭！』

何氏被唐伯虎的怒氣嚇住了，她緊閉雙目，張大嘴巴，強忍著不讓自己哭出來，卻不斷不斷的掉眼淚。

唐伯虎的心情沉重到了極點，他嘆一口氣說：『難道你一點都不能夠了解，我現在需要的是安慰與諒解。』

『哼，』何氏嘩的一下叫了起來：『喂，你需要安慰與諒解，那麼，誰又來安慰我呢？想我一個官府大小姐，迷迷糊糊嫁給了你，甚麼才子，專門舞弊的才子。』

唐伯虎不想再吵下去，他摀著耳朵，趕緊離開。

其實，在這個人生困難的時候，他們夫妻二人最需要互相安慰，彼此體諒，而不是像刺蝟一般相戳。畢竟二人感情不夠堅固深厚，他們抗拒不了外在險惡的環境。

唐伯虎甩甩頭，衝了出去。迎面而來家中的老黃狗竟然撲了上來，彷佛逮著小偷一般，『汪汪』叫個不停，果真是『狗眼看人低』，看唐伯虎現在落魄了，連家中老狗也跟著欺負。

唐伯虎正在歎氣，低著頭往前走，差一點與小廝興兒撞一個滿懷。

『對不起！』唐伯虎不自覺的往後縮了縮身體。

誰知興兒竟然沒好氣的頂撞：『你走路不長眼睛嗎？』眼神中盡是不屑。

唐伯虎好難過，他寫了一封信給文徵明：『僮僕據案，夫妻反目，舊有獰狗，當門而噬。』

唐伯虎滿心酸楚，一肚子的眼淚，他到哪兒去呢？想來想去，只有去勾欄人家買醉。有那唐伯虎舊日的老相好，倒是十分溫柔體貼，可是妓女院中的老鴇，臉色可難看極了，事實上，他現在也沒有心情偎紅倚翠，耍甚麼風流。男人的事業失敗，就是一切的失敗。

一向高高傲傲的唐伯虎，失魂落魄的走到了伍子胥廟。這座廟，他自小常常遊玩，他也曉得伍子胥受冤的故事，可是這一回，由於唐伯虎自己遭到如此大的痛苦，他突然了解了伍子胥內心深處最沉重的痛。

唐伯虎望著伍子胥塑像，斑斑駁駁，腰間佩的寶刀，只剩下了半截，他突然心中一股說不出的憤懣，拿出筆墨，在牆壁上題了四句詩。

白馬曾騎踏海潮，
由來吳地說前朝，
眼前多少不平事，

白馬當年□□□□前朝

由來□□□□□□平事

即事前多□□□□□

顧予□軒□寶刀

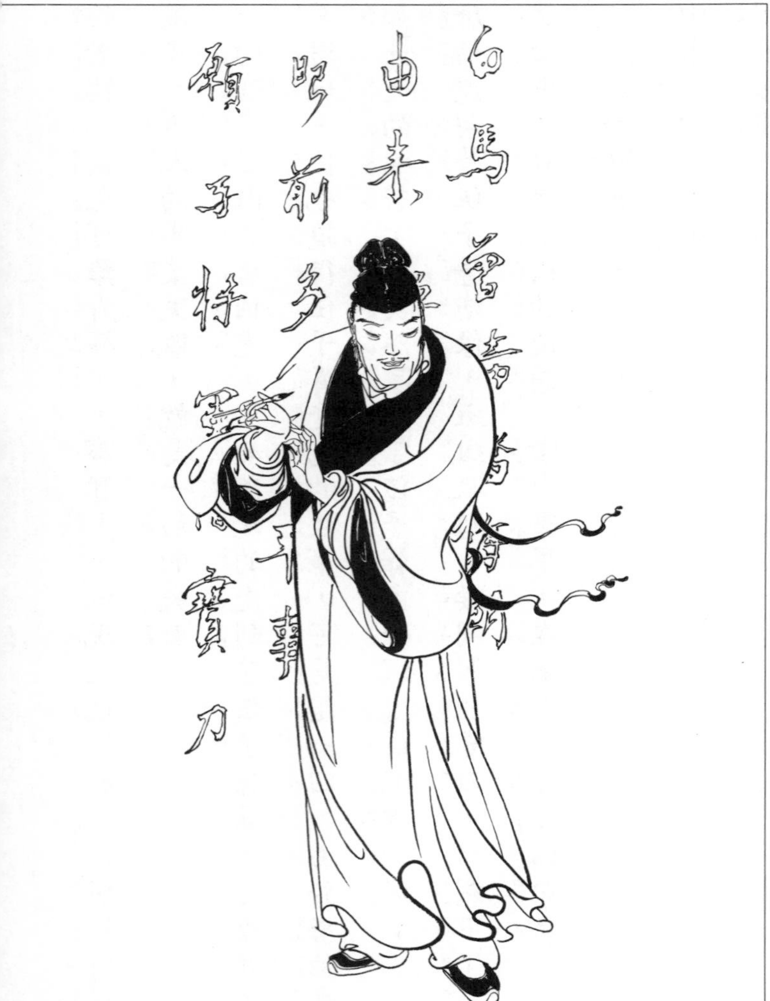

願與將軍借寶刀。

唐伯虎眞恨不得手上有一把刀，可以揮砍，砍掉世間種種不公平！

唐伯虎回到家裡，文徵明等幾個朋友已經在等他，文徵明看著唐伯虎一臉慘淡，嘆口氣道：『子畏，我明白你所受的委屈，旁人嘲笑你、議論你，我們幾個好朋友卻永遠支持你。』

唐伯虎投以感激的一瞥，大有患難見眞情之慨。

『子畏，』文徵明又懇切的說：『雖然你去浙江當一個小吏，的確是大材小用，委屈你了，可是，吏部的限期快要到了，你再不去上任，又是一件禍事。』

『我不去，』唐伯虎霍的一下站了起來，恨恨的說：『我寧可死，寧可再打四十大板，打死算了，我絕不去當個小吏，士可殺，不可辱。』

文徵明皺著眉頭，思索了半天，緩緩道：『這樣吧，我幫你寫封信給吳寬老伯，託他到浙江巡撫，給你打一聲招呼，替你除名算了。』

『好。』唐伯虎應了一聲。

文徵明又拉著唐伯虎的手，般般勸道：『記得嗎？立春之時，我們為你餞行，希哲兄（祝枝山）送了你一句話：「人生豈有定，日月亦代明」。』

『人生豈有定，日月亦代明。』唐伯虎一個字一個字唸著，是啊，人生的遭遇豈有一定，就是太陽、月亮也是互相交替映照人間，這個世界上，到底沒有一帆風順的事。

文徵明又說：『記得你當時離開後，希哲兄曾經說：你熱情爽朗、胸無城府，把這個世界看得太簡單、太容易，他很擔心，你要是受了打擊，恐怕會站不起來。哎，如今被他不幸而言中，我只好送你一句話：功名難求時，才名應遠揚，你好自爲之吧。』

唐伯虎握著文徵明的手，他心想，幸虧人生還有幾個好朋友，人生，實在是幾個好朋友互相支持走過來的啊！

閱讀心得

【第958篇】

徐素素紅粉柔情。

唐伯虎經歷了一場莫須有的考場弊案，身心俱創，幸虧好友文徵明殷般相勸，心裡頭才比較舒坦。

文徵明一走，唐妻何氏又開始在唸經：『還不趕快讀讀八股，你不想去考功名了啊？』

唐伯虎聽著便煩，懶得吵架，他鐵青著臉往外走，何氏追上來，非常生氣的問：『你又要去找妓女？』說著，嗚嗚的哭了起來。

唐伯虎正不知該何去何從，被妻子這麼一提醒，頭也不回去找徐素素。

蘇州美女是出了名的，也許是地理環境，也許是山川靈氣使然。不過，中國文人偏愛蘇州名妓，倒不全然是爲了外表美貌，她們多半極有文學修養，風度優雅，談吐不俗，在唐伯虎眼中比起粗魯不文、淺薄鄙俗的官場中人，這些妓女，不曉得高明多少。

徐素素見著唐伯虎，忍不住握著他的手道：『你瘦了。』

唐伯虎呆呆的點點頭。

徐素素心一酸，眼前這個唐伯虎神情落寞，兩眼無神，哪兒是那玉樹臨風、瀟瀟灑灑，歡喜開玩笑逗趣的唐公子，由此可見折磨之深。

徐素素人如其名，清清淡淡，素素雅雅，穿了一襲白衣，唐伯虎最欣賞素素這分靜謐，見到素素的安閒，他似乎也跟著平穩下來。

素素淺淺一笑，柔聲勸道：『相公，不要如此頹喪，你的才情，誰人不知，誰人不曉，歷來狀元有多少，又有幾人能與你相比？』

屢受打擊的唐伯虎心中爲之一暖，他不明白，爲什麼家中的妻子就不能這麼安慰一兩句。唐伯虎抬起頭來，發現素素那柔膩如羊脂玉般的頸子，幾乎與一襲白衣分不出界線，伯虎笑曰：『素素，你眞美，唱一曲吧。』

徐素素回頭使了一個眼色，一名青衣侍兒遞來琵琶。素素低首撥弦。她發聲輕柔，小曲輕唱，迴腸盪氣，聽得唐伯虎如痴如醉。

『唱得好！』唐伯虎讚賞道：『再來一首。』

素素又半側著臉，撥弄琵琶，吐出嚦嚦的輕聲。

唐伯虎一面聽，一面在想，假如不是這場冤獄，自己現在是狀元，該有多麼風光，甚且假如沒去參加過考試，悠哉游哉繼續當個『江南第一風流才子』也不壞，這『江南第一風流才子』可是他自封的，也自認爲當之無愧，現在最慘了，顏面喪盡，彷彿成了一隻過街老鼠，人人喊打，不，他不要。

想到這兒，唐伯虎猛烈甩頭，他痛苦的閉上眼睛，淚水不自覺又不聽話的往下奔竄。

面對如此光景，素素也聲音哽咽，再也唱不下去了。

素素放下琵琶，絞了一把熱毛巾，親切溫柔的爲唐伯虎擦了一把臉，然後，奉上一杯熱茶，懇切萬分的望著唐伯虎道：『相公，千萬不能自暴自棄，想想寫《史記》的司馬遷，他所受的痛苦，千百倍於你，假如不是那場腐刑，也許就沒有《史記》一書。』

素素的一番話，竟然正是唐伯虎最近心裡的話，他驚異的望著素素，沒有料到，蘇州娼家，出言吐語，如此雋妙深刻。

司馬遷當年因爲李陵投降匈奴，他爲李陵講了幾句辯解的話，惹得漢武帝大怒，把司馬遷給閹了，成爲如太監一般不能生育的人。

中國讀書人一向最看輕太監，司馬遷陷於最大的悲痛與恥辱之中，發揮了史才文才，創作了歷史不朽的《史記》。

這一段歷史，唐伯虎太熟悉，但是直到他受到冤獄，受到杖刑，受到妻子嘲笑、惡狗咆哮、僮僕歧視，他發現，他體會到司馬遷的精神痛苦。

於是唐伯虎坐直身子，對素素道：『你懂音樂的，司馬遷受刑，對他個人而言，誠然是一個太大的不幸，但是，從此之後，他的文章彷彿一杯濃烈的苦酒，又彷彿音樂中破折、急驟的調子，那麼的酣暢淋漓，痛快！』

『對，』徐素素趁機而入：『因此，相公這場冤獄，也會使你的文章、你的畫風更上一層樓，更深刻。』

『不，我不要。』唐伯虎一摔酒杯：『我寧可畫藝平凡，我不要與司馬遷一般偉大，我不要，我不要！』

素素依然平靜，她走過來，拍拍唐伯虎的頭，好像在安慰一個小弟弟：『也許上天選擇了你，誰要你這麼有才情。』

『是這樣嗎？』唐伯虎遲疑道，他講話的口氣，撒嬌的方式，似乎也像一個小弟弟。

『是這樣的。』徐素素肯定的回答。

走出徐素素處，唐伯虎心中好溫暖，他不知道，該如何謝謝素素如此溫柔的體恤。

閱讀心得

【第959篇】

徐素素情愛悠悠。

身心俱創的唐伯虎，自徐素素處歸來之後，整個精神好多了。他一字一句回味素素的話，彷彿一股暖流傳遍全身，素素的美，不只是外在的容顏，而是她的慈悲與溫柔啊！

唐伯虎人在家中，只覺得疲倦無趣，心中空蕩蕩的，似乎世界與他毫無關係，他身上這個軀體，並不是屬於他的，唐妻何氏仍在唸唸唸，成天唸個不停，唐伯虎把耳朵給關掉了，因此，他也聽不見妻子的嘮嘮叨叨。

唐伯虎勉強又勉強的在家裡熬了一天。他眼前全是徐素素的身影，耳邊始終響著徐素素的聲音。

到了第三天，唐伯虎心想，今天再不去會一會素素，他一定非發瘋不可。

唐伯虎信步走到素素處，迎面遇到了朋友李信，李信劈頭第一句話就是：『素素死了。』

『怎麼可能，別開玩笑。』唐伯虎推了李信一把：『玩笑也不是這樣開的，前天我還與素素在一起。』

『沒錯，』李信正色道：『素素是昨天投水的。』

『投水，為甚麼？』唐伯虎手腳冰涼，又汗流浹背，他幾乎一屁股坐到地上。

李信歎氣道：『你曉得郭六吧，仗著身上有幾個錢，娼家的鴇母欣賞他，他歡喜爲妓女贖身，買回家去又不好好疼，常把人打得全身青紫，這一回，郭六看上了素素，據說出了高價。』

『這是昨天發生的事？』唐伯虎追問。

『沒有，談了個把月了，素素也沒說過不答應……』

李信的話，唐伯虎聽不下去了，他耳旁嗡嗡嗡叫個不停，原來，原來前天素素的活潑、開朗、善體人意、笑口常開全是爲著他扮出來的，其實，素素的心中正滴著鮮血。

唐伯虎想哭，哭不出來，他捧著要炸開來的腦袋，失魂落魄回到家中。他眞恨，恨老天爺爲甚麼要把他精神唯一慰藉，這麼可愛的素素給逼死了。

他跌坐在書桌之前，似乎眼前浮現素素投水前的倩影，素素身著白色披風，清冷有如冰雪，肅穆之中蘊藏無限的哀哀怨怨，她好像正以從容就義的心情敘說著：『素素不幸生於娼家，又何幸與公子相識，今生無緣再聚，不如早死早投胎，希望來生能相見。』

唐伯虎站了起來，素素卻消失得無影無蹤。

唐伯虎有些氣惱，爲甚麼前天晚上素素不把自己的困難告訴他？不過，即使訴說了又能如何？唐伯虎目前豈有爲娼妓贖身的能力，就算是有，又哪兒是置妾的時機？難怪素素絕口不提，只是反過來盡力安慰唐伯

虎。兩相對照之下，唐伯虎慚愧極了，堂堂一個男子漢大丈夫，竟然比不上柔柔弱弱的青樓歌妓。

唐伯虎終於忍不住的掩面痛哭，他含著眼淚，寫了一首七言律詩：

清波雙珮寂無蹤，
情愛悠悠怨恨重；
殘粉黃生銀撲面，
故衣香寄玉關胸。
月明花向燈前落，
春盡人從夢裡逢；
再託生來儂未老，

好教相見夢姿容。

幸而，唐伯虎只是寫詩遣懷，沒有真的殉情，因為所謂來生相聚，只是荒渺的幻想。

突然之間，他聽到撕紙的聲音，原來何氏走進書房，見著律詩，醋勁大發，當場撕個二段，唐伯虎醒來，急著去搶，何氏更氣，把張棉紙給撕得細細碎碎，揉了又揉。

『你要撕，儘管撕，反正詩在我腦子裡，等下再寫一張。』唐伯虎懶得再理。

『你倒好，』何氏氣壞了：『你我遭到的羞辱還不夠嗎？你不但沒有發憤圖強，反而一天到晚逛妓院、畫畫，再寫這莫名其妙的詩，為無恥的歌妓寫詩……』何氏愈說愈氣，氣得身體不斷發抖，她希望唐伯虎能認錯，能懺悔，能安慰她，發誓再不做這些荒唐事。何氏實在是委屈萬分，她心想，換了任何一個女人，遇到這樣的丈夫，也一定會活活哭死的。

唐伯虎一點也沒有前去安慰何氏的意願，他心煩意亂，他看著哭得披頭散髮的何氏，真有說不出的討厭，突然之間，唐伯虎了解了佛家所說『怨憎會，愛別離』，就是你愈怨恨憎怒的偏偏相會，你最愛的偏偏離別。唉，人生真是苦啊！

閱讀心得

【第960篇】

唐伯虎效法司馬遷。

自從徐素素自殺，唐伯虎寫了一首哀悼詩，被妻子何氏發現，雙方熱烈吵過一架，兩人進入了冷戰期，雖然住在同一棟房子裏，卻像是兩個啞巴；靜悄悄的，啞巴還會彼此打手語，他二人卻盡量避免目光相接觸。

在如此沉重的氣壓之下，唐伯虎終於病倒了，發起高燒，面紅如火，連嘴唇都燒焦了，同時口中囈語不斷，十分嚇人。

何氏找來醫生，問了診，把了脈，還好，只是長期勞累過度，抵抗力太差，引起了嚴重的風寒。

何氏送走了醫生，忍不住嘀嘀咕咕抱怨：『你一定是嫌我的麻煩還不夠多，或者，你是想藉機不碰書本，我就不曉得這樣子你還想不想要功名？』何氏愈說愈氣惱，淚珠不斷的往下滾，她好希望唐伯虎能稍微安慰她兩句，至少該有一聲『你辛苦了』或者『我也十分抱歉』。

但是何氏不明白，如此的『撒嬌』是只會讓人反感的，唐伯虎用力把棉被一扯，整個人鑽到被窩裏，恨不得用個耳塞子把耳朵給塞起來，偏偏耳旁又傳來何氏刺耳的聲音：『你沒有考中狀元也就罷了，竟然還作了弊，坐了牢，害得我跟著你抬不起頭來。』何氏捶胸頓足，狠狠的又發洩了一番。

唐伯虎突然之間，非常了解司馬遷，他也明白了何以徐素素臨死之前，拿他與司馬遷相提並論。司馬遷在〈報任安書〉中形容自己：『我因爲說話不小心，遭遇到這樣的災禍，深爲鄰里鄉黨所恥笑，污辱了祖先，我又有甚麼面目再上父母的墳墓呢？因此，愁腸一日九轉，我一想到所受的恥辱，沒有一次不是汗水沾滿了背脊。』

唐伯虎一摸自己的後背，果然，被何氏這麼一提醒，想起了恥辱，整件內衣都濕透了，黏答答的貼在身上，眞是不舒服。

司馬遷當時是怎麼熬過來的？對了，司馬遷用歷史上的英雄豪傑來安慰自己，司馬遷說：『古來富貴的人雖多半名聲埋沒，只有倜儻非常的人才被世所稱頌。周文王被拘禁而後推演《周易》，孔子遭受困阨創作《春秋》，屈原被放逐，才撰寫《離騷》，左丘明雙目失明，這才編《國語》，孫子臏蓋骨被剔掉，這才寫《孫子兵法》，呂不韋被放逐到四川，《呂氏春秋》流傳後世，韓非子在秦被囚，著述了《說難》、《孤憤》，這些人都是受了委屈，心中有抑鬱，所以著書論述己見，發抒胸中憤慨。』

『對，我也要效法這些人，效法司馬遷。』唐伯虎把被子一掀，站了起來，大聲背誦著：『所以隱忍苟活，幽于糞土之中而不辭世者，恨私心有所不盡，鄙陋沒世，而文采不表於後世也。』

何氏著急的跑了過來，拿了一件衣服披在唐伯虎身上：『你怎麼了？這樣會著涼的。』何氏雖然嘴巴厲害，心裡還是很關心唐伯虎的。

唐伯虎不理會何氏，又大聲的再次朗誦：『所以隱忍苟活……』

『你在咕嚕咕嚕唸些甚麼，我聽不懂。』

『你當然不會懂。』唐伯虎白了何氏一眼。

司馬遷這句話的意思是說，我之所以沒有自殺，之所以隱忍苟活，情願幽禁在污泥糞土之中，是因爲理想未能實現，庸碌無聞，終結一生，我的文采不能傳於後世。因爲這個原因，司馬遷才發憤創作《史記》。

唐伯虎打定主意，他也要效法司馬遷，雖然功名從此絕緣，他要讓後世知道他唐伯虎藝術方面不凡的才情，他要效法《史記》一般『藏之名山，傳之其人』，他不要再窩窩囊囊躺在病床之上，長期忍耐妻子討人厭的嘮嘮叨叨。

主意既定，唐伯虎開始快速的整理行裝，司馬遷寫《史記》之前，曾經在二十歲之時，展開大規模的壯遊，呼吸前代文化的遺澤，才華始得盡情開拓。

唐伯虎是藝術家，不親眼觀賞名山大川，筆下怎能有生命？他早想壯遊了，只是因爲要考功名，不得不耽擱下來，現在，正是時候，唐伯虎恨不得立刻站在高山上狂嘯，發抒自己的鬱悶，又恨不得馬上投身於鳥語花香之中，洗滌一身的鬱悶，他輕快的哼著歌，心情頓時輕鬆不少，他回過頭對何氏說：『明天一早我要出外旅行。』

『你還有閒暇旅行？你不想考功名了嗎？』何氏又氣又惱，她不曉得這個丈夫何以如此『不成材』。

唐伯虎懶得多理論，他留下一封信，拜託好友文徵明代爲照料，他在信中寫道：『我現在如黃鵠般高飛，如驊騮（駿馬）般奮起，但是我弟弟子重弱小，無法撐起門戶，他衣食空絕，必將流爲難民，希望你能捐一些狗馬食，免得唐家絕後。』這封信寫得哀惻感人，唐伯虎的家境是如此困窘，恐怕不是一般人所能想像。

閱讀心得

【第961篇】

文林留下『却金亭』。

唐伯虎壯遊去矣，臨行之前，他把家交給文徵明，唐伯虎的弟弟子重，不事生產外帶好酒，唐伯虎眞的十分擔心，這個寶貝老弟會不會活活餓死。

不過，文徵明家中的景況，不見得比唐伯虎好多少，他同樣是苦哈哈。

文徵明與唐伯虎同年，同爲明朝最出色的書法家、大畫家。他倆比祝枝山小十歲，唐伯虎、祝枝山、文徵明以及後輩的徐禎卿共稱爲吳中四大才子。

中國姓名之中，文不是大姓，提到文姓，大家馬上會聯想到文天祥，沒錯，文徵明正是文天祥的後裔，因此，骨子裡有一分浩然正氣。

文徵明的祖父文洪是舉人，父親文林是進士，書香門第。文徵明小時候十分老實，木木訥訥的，與唐伯虎、祝枝山、張靈的天才橫溢簡直沒得比，但是文林一點也不擔心。他常說：『這孩子大器晚成，不用擔心。』

文林心胸寬廣，他愛自己的兒子文徵明，也愛與兒子一般大的唐伯虎，一點也不擔心唐伯虎的風頭蓋過了文徵明，文林的氣度也讓兩個青少年更加契合，在他們之間，沒有一點『文人相輕』的壞習性。

文徵明十六歲那一年，文林死於浙江溫州知州（地方州長官，一般人俗稱太守）任內。由於文林十分清廉，死後蕭條，在中國古代，一個官吏若是不貪污，肯定是日子過得相當悽慘的。

由於文林勤政愛民，地方百姓依依不捨，決定用厚厚的奠儀代表內心的崇敬，尤其幾個地方仕紳，掏出的奠儀遠遠超過一般的行情，其中不無周濟文徵明的意思。

文徵明的骨氣很硬，他乾脆來一個拒收。

唐伯虎問文徵明：『何必如此，辦喪事送奠儀，原是一般規矩。』

文徵明堅決的搖頭：『不可以，我要是收了溫州大老們的厚重奠儀，我一輩子走在路上碰到他們，都會抬不起頭來，你希望我這樣沒骨氣嗎？』

唐伯虎曉得文徵明的脾氣：『那就只好原封不動的退回了。』

『正是。』文徵明堅決的把奠儀全部退回。

這下子，溫州仕紳們可急壞了，他們著急的商量：

『如今，弄巧反拙，文林兒子不肯收奠儀，如何是好？』

『這個孩子眞是，何必如此固執？』一位馬姓老爺相當不以爲然。

『我倒挺佩服這孩子的骨氣。』另一位大老接口道。

這時，素爲鄉里敬重的王員外出來講話：『各位奠儀已經出了手，沒有拿回去的道理，照中國人的說法，拿回來也帶有喪氣，大大不吉利，依我看，不如把這些錢拿來蓋一座亭子，表彰文太守對溫州的貢獻。』

王員外的意見獲得眾人們的支持，於是，就用這筆錢搭建了一座秀雅的小亭子，這座亭子題名為『卻金亭』，卻是推卻的意思。

『卻金亭』落成之時，地方上的人都到齊了，知事何文淵寫了一篇文情並茂的文章，記敘文林公的政績，並且敘述由於文徵明堅持不收奠儀，大家合議蓋此『卻金亭』。

文徵明站在『卻金亭』三個字下面，心中油然生起一分欣慰，彷彿對在天之靈的父親說：『我這個做兒子的，總算沒丟了你的顏面。』

唐伯虎見此光景，悄悄的用手握緊了文徵明的手，兩個十六歲的青年互相對望，一切盡在不言中，唐伯虎的眼神，充分表露了他對文徵明的一片敬愛，正如他常對文徵明所說的：『我佩服你，但是，我可做不到。』

文家原本不寬裕，一場喪事辦下來，剝了一層皮，能典能當的，幾乎全當光了，文徵明也不在意，一臉『人窮志不窮』的神氣。

有位父執輩李伯伯看不過去了，每回見到文徵明，總忍不住問一聲：『早晚準備的飯菜，夠不夠吃？』

文徵明總是回答：『夠，絕對夠，不虞缺乏。』

李伯伯還是不相信，對著文徵明看了半天，很想自他臉上看出眞相。

有一回，巡撫俞諫也忍不住指著文徵明的藍布衫嘆氣：『你這件上衣未免太破舊了吧？』

文徵明假裝聽不懂，瀟瀟灑灑的說：『最近天氣不佳，多淋了幾場雨。』

俞諫明白他在裝傻，也知道再講下去沒有結果，只好識趣的走開了。

閱讀心得

【第962篇】

文徵明不近女色。

文徵明與唐伯虎同年生，同爲明朝著名的才子，同樣考場失利。唐伯虎碎了狀元夢，文徵明也好不到那裏去，自從考取了秀才之後，曾經參加鄉試，進省城趕考舉人，前前後後竟然考了九次，考到最後，覺得自己人都考老了，再考下去也沒甚麼意思，想來此生沒有官運。於是，文徵明決定不再參加第十次的考試。

文徵明的功名之心，原本比唐伯虎淡泊，他也沒有經過唐伯虎的一場冤獄，因此，雖然官場無望，文徵明豁達開朗，在他看來，眞才實學比甚麼都重要。決定不再參加科舉考試之後，文徵明比以前更用功，從此之後，讀書是爲自己讀書，他鑽研書本，研究書法畫藝，雖然兩袖清風，卻是快樂逍遙。

文徵明與唐伯虎是互爲知己，彼此欣賞，有一點卻大不相同。唐伯虎風流倜儻，以江南第一風流才子自許，文徵明認眞固執，一輩子對女色興趣缺缺。

關於這一點，唐伯虎覺得十分納悶，他不止一次偏著頭對著文徵明細看：『奇怪，男人豈有不好色、不貪腥的，我實在不了解。』

文徵明總是回答：『世界上有趣的事挺多，我也不了解你爲甚麼喜歡往妓女院中鑽。』

『不對，不對，一定是你沒遇到中意的，你這個人太封閉自己了。』

唐伯虎始終不相信，有人會不愛美色，在唐伯虎看來，環肥燕瘦，各有千秋，在不同的美女身上，可以找到不同的特色。文徵明竟然如此不解風情，這輩子眞是白活了，所以，唐伯虎決定『解救』文徵明。

在唐伯虎意氣風發的青年時期，他曾經安排一場『豔遇』。唐伯虎知道，如果邀請文徵明赴妓院，那眞是打死他這個老頑固也不成，所以有一天，唐伯虎對文徵明說：『今日春光明媚，你我不如前往竹堂寺一遊，祝枝山也會來。』

『好啊！』文徵明不疑有他，開開心心前往。

走到一半，忽然半途閃出兩個埋伏的歌妓，一個肌膚細白，眉眼如畫，一個黑黑亮亮，煙視媚行，兩人一左一右，扭著身體，不顧光天化日，就要親吻文徵明的兩頰。

文徵明這個老實人，嚇得直往前跑，兩位歌妓沒見過如此緊張好玩的男人，追上前去一左一右摟著文徵明的手不放，並且親親熱熱往文徵明身上挨過去。

文徵明發了脾氣，用力把兩位歌妓的手甩開，脹紅了臉，指著唐伯虎、祝枝山道：『你們兩個人，頑皮之極。』然後，沒命似的往前奔跑，好像後頭有老虎追趕似的。

文徵明因爲趕得太急，竟然還絆倒摔了一跤，爬起來，拍拍膝蓋上的

灰塵，繼續沒命似的往前跑，他是一個文弱書生，平時不運動，跑起來的樣子又笨又拙，唐伯虎、祝枝山、兩位歌妓都笑翻了。

唐伯虎一面揉揉笑痛的肚皮，一面又起了新的念頭，他轉動眼睛道：『下次讓他沒路可逃。』

過了兩天，文徵明的氣消了。唐伯虎邀他前往石湖開懷暢飲，吟詩作樂。

文徵明正在剝花生，忽然之間，一雙冰冰涼涼的手從背後伸過來，撫摸著文徵明的臉，文徵明大叫一聲站了起來，似乎見到了鬼，唐伯虎非常不以爲然道：『你這個人眞是不解風情，瞧她這雙玉手，豐若有餘，柔若無骨，如玉筍，如青蔥，這麼美。』

文徵明急急逃開，免得被玉手捉住，突然，原先藏在舟中七、八個歌妓一起跑出來，鶯鶯燕燕笑個不停，團團圍住了文徵明，文徵明一搔腦袋，驚呼：『我的天！』轉身就要投湖，嚇得唐伯虎一把捉住文徵明的衣襟：『你又不會游泳，下去就沒命了。』

『那麼，想辦法讓我快快離開。』

『你別那般固執，學習享受人生。』

文徵明站了起來，似乎又準備投湖，唐伯虎沒可奈何，招手喚來一艘小船，讓文徵明先行離去。

文徵明坐著小船走遠了，唐伯虎繼續左擁右抱，在他看來，眼前佳麗，各具丰采，他神魂俱醉，飄飄然然，他永遠不能了解，文徵明是怎麼回事，不過，經過二次惡作劇不果，唐伯虎對文徵明更是佩服萬分。

尤其日後，當唐伯虎慘遭打擊，窮困潦倒，無法日日醇酒美人之時，他更是景仰文徵明的爲人，唐伯虎曾經寫信給文徵明，信中坦誠以告：『徵仲（文徵明字徵仲）對於酒宴、聲色、花鳥均能淡泊忘懷，雖然萬變在前亦無動於衷，以前項橐七歲作孔子老師，我長你十個月，我願以孔子爲例，拜你爲師，這不是口服，這是心服也。關於詩與畫，我也許還能與你抗衡，至於學問品行，我見到你，更要慚愧得掩面疾走，我只求能與你共坐一角，消除我胸中漬滓污穢，假如要讓後生小子欽佩仰慕前輩的規矩丰采，非閣下莫屬。』

唐伯虎與文徵明雖然性格不同，一個狂放、一個認真，卻始終做到文人相重，著實不易。

閱讀心得

【第963篇】

沈周畫牆壁。

明朝四大畫家文徵明、沈周、仇英、唐伯虎，其中文徵明名列第一，可見他畫藝非凡。不過，文徵明始終認爲，他憑藉的不是傲人的才氣，而是持續不斷的努力。

文徵明不近女色，做人認眞，同樣的個性也表現在他做事、做學問上面。從小，文徵明的父親文林找了吳寬教他文章，沈周教他繪畫，李應禎教他書法，這三個人均非等閒之輩，也都是文林的老朋友。文徵明學得勤勤懇懇，努力不懈，三位老師都讚不絕口。

其中吳寬會試、廷試均名列第一，乃有名的吳中才子。沈周更是詩書畫三絕。

沈周影響唐伯虎甚深，據史書形容他是『風神散朗，骨格清古，碧眼飄鬚，儼如神仙。』這位神仙比唐伯虎、文徵明大四十多歲，經常一起飲酒賦詩，算得上是亦師亦友。

沈周家學淵源，一家都能畫畫，甚且家中的奴僕婢女，也能畫上幾筆。他最擅長畫山水，後人形容，假如家中掛了一幅沈周的山水，那麼彷彿屋中有雲又有霧，山川河流就像在桌子上一般。

沈周性情寬厚，雖然享有威名，卻始終沒有一點架子，當他隱居在相

城里有竹莊時，得罪了一個小人，竟然把沈周名字列入工匠。恰好新任蘇州知府曹鳳新修一座郡院，想找人去畫牆壁，就把沈周也叫了去。

堂堂一代畫壇大師竟然去畫牆壁，而且是畫紅紅綠綠、土裡土氣、俗不可耐的雕樑畫棟，文徵明、唐伯虎等人都非常不以爲然，沈周倒是不生氣，只用食指在嘴唇上撮一撮：『別嚇到了老母。』

從此，沈周就天天乖乖去郡院報到，與一般工匠一般，把五顏六色塗在牆壁上，沈周看得很開，他說：『這也是老百姓該盡的義務，假如找了權貴去關說拜託，那不是更屈辱嗎？』

沈周心平氣和做完了工作，又回到了隱居的優閒生活之中，過了沒多久，曹鳳到京裡去，銓曹問他：『沈先生別來無恙？』

曹鳳根本不知道沈先生是誰，又不敢承認自己孤陋寡聞，只好支支吾吾道：『很好，很不錯啊。』

曹鳳是個典型官僚，心想，回蘇州之後得好好巴結一下這位沈先生了。

接著，曹鳳又去拜會內閣大學士李東陽，李東陽劈頭第一句話，竟然又是：『沈先生沒有託你帶書信來嗎？』

『沒有，沒有。』

『沈先生近來可好？可有得意之作？』李東陽接著問。

『嗯，有有，有不少。』

曹鳳結結巴巴，心中發慌，眞害怕李東陽再往下追問，他又不勝懊惱之至，假如早知道蘇州有這號人物，套個交情，順便帶個口信給銓曹或是李東陽，那可比他帶來的象牙工藝品珍貴多了，曹鳳眞是有說不出來的悔恨。

告別李東陽之後，曹鳳立刻前往吳寬處，吳寬是文徵明另一位老師，當時正在京裡擔任吏部右侍郎。

曹鳳問吳寬：『不曉得李東陽口中所稱的沈先生，究竟是哪一位沈先生？』

『知府連沈周都不知道？』吳寬不勝訝異，從曹鳳的無知，也可以說明這位知府大人一定是養尊處優，對於地方陌生得很，吳寬對於家鄉蘇州來了如此一位地方官，內心十分的沈重。

不過，曹鳳既然虛心求教，吳寬也就坦誠以告：『這位沈先生乃一代大師也，才高志潔，他父親過世之後，有人勸沈先生入朝爲官，沈先生回答：「你們不曉得我是我母親的命根子嗎？我怎能離開她膝下？」沈先生所居之處有水竹亭館之勝，圖書鼎彝，充滿室內，陳列四周，他又好客，結交天下名士，來訪幾無虛日。』

吳寬又說：『難道知府未曾聞知，沈先生每天一大早，大門未開，遠方前來求畫的船隻，已經塞滿了蘇州河兩岸，遠自閩、川、浙、廣的人絡繹不絕。』

曹鳳猛拍自己腦袋，心想江南果然藏龍臥虎，自己眞是太疏忽了，再這樣下去，恐怕烏紗帽不保，於是，曹鳳趕快拜別吳寬，趕回蘇州，準備親自備了厚禮，上門拜見沈周。

曹鳳回到任上，問問左右：『誰知道沈周？』

曹鳳的左右與他一般淺陋，問了半天，一問三不知，最後不知是誰冒出一句：『對了，最近畫牆壁的一位工匠就叫沈周，模樣挺斯文的，工做得也挺認眞的。』

『我的天！』曹鳳一聽之下，差點沒昏倒，他氣壞了，大聲罵人：『你們是存心害我死。』

『這下完了！』曹鳳急得想哭，沈周用不著加油添醬，只要讓京裡的大官們曉得，曹鳳有眼無珠，把當代大畫家當成工匠使喚，單單這個罪名，他就成爲衆人的笑柄。

曹鳳好在一向具有能屈能伸的官場本領，馬上備了厚禮，直奔沈周處，曹鳳原已準備接受沈周的奚落，然後，曹鳳再擺一桌酒賠罪，希望能大事化小，保住官位。

不料，沈周完全不介意，輕鬆談笑，曹鳳卻沒法笑得自然，回來之後，有人告訴曹鳳：『沈先生一向寬厚，有一回，鄰家丟了東西，硬說沈先生家中的是他家的，沈先生就讓鄰居拿了去，沒多久，鄰居找回失物，這才慚愧的把東西送還，難得的是，沈先生一點也不計較。』曹鳳這才安了心。

沈周大度大量，由於格局寬廣，表現在畫藝之上也是大開大闔。

閱讀心得

【第964篇】

沈周的假畫。

沈周是明朝首屈一指的大畫家，蘇州知府曹鳳有眼不識泰山，把他當成工匠，吆喝他去畫牆壁。沈周也不生氣，笑嘻嘻的完成任務。

沈周的學生文徵明對老師的涵養十分佩服，文徵明說：『我終於了解孔子說「人不知而不慍，不亦君子乎」的道理了。』慍是生氣，人家不曉得他，不了解他，君子是不會生氣動怒的。

沈周還有一點，讓文徵明欽佩得五體投地。由於沈周大名鼎鼎，沈周的畫十分搶手，無論農夫小販向他要畫，他總是能給就給，大方之至。

既然索畫的人絡繹不絕，把蘇州河都塞滿了，很自然的，許多人模仿沈周的畫弁利，沈周的贋品到處充斥，他一點也不在意。

曾有一個叫王六的最為過分，他模仿手法粗劣，尤其是書法奇糟無比，要知道中國人繪畫，非常講究落款，沈周畫好，書法也是一流，這個王六的字歪歪扭扭，一個字大一個字小，像小孩子寫的，當然旁人一看便知假貨，因此銷路不佳。

王六也妙，竟然突發奇想，跑到沈周面前，雙膝落地，哭哭啼啼：『我家有老母，就等這幾幅畫換藥錢，可是我的畫又賣不出去，假如大人在上面題幾個字，我的老母親就有救了。』

這個王六一臉無賴樣子，天下還有人拿了假畫要求題字，沈周的家人，氣得火大，拿起掃把就要把王六給轟了出去。

豈料沈周居然和顏悅色的說：『既然這樣，你就把畫都拿來吧。』衆人一聽，就差眼珠沒有掉出來，王六大喜過望，眞的捧來一堆不堪入目、看著讓人又好氣又好笑的圖畫。沈周眉頭也不皺一下，一一耐心題字落款，還給蓋上鮮紅的印章。

沈周的家人門生對此相當不以爲然，這樣豈不是助人作弊，再說，贋品大量流出，對於蒐集沈周作品的愛好者是一大傷害。沈周只是淡然的說：『或許，他的母親眞的生病也不一定，我一聽到母親，想到我的老母，心腸就軟了。』

文徵明對此有比較深入的看法，他認為沈師的畫，不論是早年的細密小景，中年以後的大幅山水都是風格健朗的藝林極品，他說：『古人論畫貴氣骨，這氣骨二字只能意會無法模仿，明眼人一看便知，因此，沈師不辨不嗔，鳳凰與山雞本不相同。』

由於沈周個性隨和，非但不處理贋品，反而變相鼓勵假畫，因此，他的作品大量傳於後世，有眞有假，後人對他有褒有貶，他反正不放在心上。

文徵明繼承了沈周的風格，他門下許多學生偷偷仿冒他的畫，以高價出售。文徵明知道了，睜一隻眼，閉一隻眼，未曾加以干涉，所以，文徵明的畫在他生前已大量出現國內外，贋品多，眞蹟少。

同時文徵明一向堅守原則，固執到底，他對三種人看著不順眼，所以他有『三不』，就是有三種人他是不為他們作畫的，即使捧來金山銀山都沒有用。第一，他不肯替王爺們作畫。第二，他不肯替富貴人作畫。第三，他不肯替外國商人作畫。說不肯就是不肯，絕無任何通融的餘地。

有一回，有某王爺想請文徵明畫畫，曉得文徵明有這個怪脾氣，也不敢送上潤筆銀子，特別挑了古雅的古董送上，希望文徵明認為，王爺還有些品味，或許能破例畫一張。

此時的文徵明一貧如洗，門邊陰溝污水瀰漫，簡直無法通行，有位父執輩忍不住開了口：『這簡直乘船都過不了。』

文徵明聳聳肩：『是啊，而且疏浚陰溝之後，污水勢必淹沒鄰居。』

但是文徵明又沒錢搬新家。

文徵明發現了古董，他也知道這古董價錢不小，足可換一棟新居，不過嘛，因為違反三不原則，連封條都沒拆，就原物退回給王爺了。有些外國使者經過蘇州，總想去拜望一下文徵明，文徵明也是不願意隨便讓人參觀的。

文徵明曾在正德末年，入朝為官，而且未經鄉試、會試、廷試，直接進入翰林院，讓人眼紅不已。後來世宗即位，想找文徵明修實錄，朝臣冷嘲熱諷，文徵明受不了，乾脆辭官。

文徵明在翰林院時，楊一清被召為相，人人爭相巴結，文徵明最懶得這一套，拖到最後才去道賀。

楊一清一見文徵明，臉一沈，馬上打官腔：『你難道不知道我與令尊是老朋友？』

文徵明立刻回了一句：『先君棄不肖三十多年，從來未曾提及，我實在是不知道。』

楊一清十分生氣，他不明白文徵明一向實話實説，認爲文徵明一定是仗恃自己的家世才故意頂撞，千方百計除掉文徵明。

也因爲文徵明始終天眞認眞，他的作品構圖謹嚴、畫面周密，天眞爛漫，非常清秀。正因爲他是這種信得過的人，當唐伯虎遠遊之時，放心把整個家交給文徵明。

閱讀心得

【第965篇】

唐伯虎暢遊鎮江三峽。

唐伯虎終於決定，效法司馬遷，展開大規模的千里壯遊。

何氏阻止不成，氣得發抖，恨恨的說：『你這個人一點也不能忍耐。』

唐伯虎看到何氏潑辣的模樣，長嘆一口氣道：『我的確是修養不佳，欠缺忍耐功夫。』說著，拿起行李，迅速的離開家門。

『你爲何不讀一讀牆上的百忍歌？』何氏的聲音遠遠從耳後傳來。

所謂百忍歌，指的是唐朝高宗時，有一人名叫張公藝，九代同居。有一天，高宗路過，親自拜訪張宅，詢問他這是如何辦到的，張公藝拿出紙筆，一口氣寫了一百個忍字，中國大家庭中，不忍還真不成啊。

唐伯虎不想再忍耐了，他自己也編了一首『百忍歌』，邊走邊吟，『百忍歌，百忍歌，人生不忍將奈何！我今與汝歌百忍（汝是你的意思），汝當拍手笑呵呵，朝也忍，暮也忍，恥也忍，辱也忍，苦也忍，痛也忍，飢也忍，寒也忍，欺也忍，怒也忍，是也忍，非也忍。』

唐伯虎覺得胸中一股激昂慷慨，他再也忍耐不下去了。他覺得他會發瘋，他一定非瘋不可。

突然之間，一陣撲鼻的濃郁花香迎面而來。他仰頭一望，綠意深濃，一朵朵小白花掩映其間，如此可愛。乾乾淨淨的道路，在陽光照耀之下，亮得醒目。

他突然快樂起來，唐伯虎踢著一顆石頭，心中想著『去他的冤獄，去他的考場失意。』現實生活中種種苦難，種種委屈，種種失意，在初秋的美景之中，就這樣拋開了。

一會兒，下雨了，唐伯虎一向瀟灑，一向不習慣打傘，他乾脆躺在田埂上，讓細雨濡濕，柔柔、細細、輕輕、軟軟、斜斜的雨絲把稻葉染得更綠。他在斜風細雨之中，在稻浪搖曳之中，心上的塵埃逐漸洗淨。

他靈光乍現，忽然之間領悟到人生不如意者十之八九，忍耐面對不如意的人和事是必要的。但是，只是強迫壓抑不行，強制的忍耐一旦超過限度是會讓人發狂的。疏導不如意的情緒最好的方法是走入大自然之中，看看山水靈秀，許多不如意的傷痕就會不自覺的被撫平了。

唐伯虎的第一站是鎭江，鎭江位於長江南岸，是大運河最後一段，風景秀麗，金山及固山、焦山合稱『鎭江三山』，吸引了無數尋幽訪勝的遊客。

金山海拔不高，卻山壁陡立，層樓疊閣，古塔巉巍，金碧輝煌的寺廟宮殿，隨著山勢盤旋，從山腳一路延伸到山頂，因此有『金山寺裹山』之說。

金山有一口冷泉，號稱爲天下第一泉，唐伯虎遊鎭江時，恰好碰上迎神賽會，寺裡寺外，摩肩接踵，全是進香的人，唐伯虎一向最愛熱鬧，十分興奮的也從和尚手中接過了杓子，汲了一杯清涼甘冽的泉水，一口喝下去，冰冰涼涼的滋味自喉嚨竄下，好舒服。

中午，唐伯虎就留在金山寺中吃齋。這一頓素食吃得清爽、簡單、可口，尤其是用來涼拌的醬，美味極了，唐伯虎把筷子上剩餘的一點都給舔得一乾二淨。

旁邊一位遊客對唐伯虎說：『何不買幾瓶走，金山寺的醬可是天下第一啊！』

『我還要遠遊，不方便攜帶，謝謝你的好意。』

『那麼，你要不要聽一段有關金山寺醬的故事？』

『好啊。』唐伯虎興趣極濃。

遊客清一清喉嚨，手裡拿著一雙筷子，學著說書先生的模樣，說起故事來：『遠在宋代（相當於日本鎌倉幕府時代），日本一位高僧，法號覺心國師，聽說了中國金山寺醬天下第一，懇求行政長官派他到中國來學習製醬方法。

『長官把覺心國師訓了一頓，他認爲出家人應該四大皆空，如此貪好美食，還修甚麼行。覺心國師拿不出理由反駁，只好天天哭著哀求，天天哭，天天求，長官被他煩死了，最後，終於答應覺心國師。於是，覺心國師在元定宗貴由四年（西元一二四九年）來到了金山寺。

『寺裡的住持，見他是個日本和尚，懶得多理他。覺心國師又拿出纏磨的法寶，天天哭著哀求。最後住持答應讓覺心國師到廚房幫忙，覺心國

師在廚房中學習了幾個月，細心觀察，終於學得製醬方法，然後回到了日本，不但製成金山寺醬，並且用製醬的汁製成了美味可口的醬油。』

日式料理之中，醬佔了重要的地位，原來製醬的技術是如此傳至日本的，唐伯虎聽了這段故事，不由感慨萬千，『無論是製醬，作畫，想要有所成就，還眞不是一件簡單的事啊。』

接著，唐伯虎來到北固山，北固山在三山之中最低。三國故事中膾炙人口的劉備招親就發生在北固山的甘露寺，唐伯虎彷彿見到孫權的老母國太見到劉備有龍鳳之姿，儀表非凡，丈母娘看女婿，愈看愈有趣，開心的說：『眞吾婿也。』

唐伯虎又來到了焦山，他對焦山最感興趣的是定慧寺的碑林，所謂碑林是鑲嵌在迴廊亭閣牆壁上的書法石板，石塊共有二百多塊，有正，有草，有隸，有篆，美不勝收。

唐伯虎的書法堪稱一絕，他的朋友祝枝山、文徵明也是箇中名家，因此，他站在定慧寺前，細細觀賞碑林，覺得有說不出的舒暢。

閱讀心得

歷代・西元對照表

朝　　代	起迄時間
五帝	西元前2698年～西元前2184年
夏	西元前2183年～西元前1752年
商	西元前1751年～西元前1123年
西周	西元前1122年～西元前 771年
春秋戰國(東周)	西元前 770年～西元前 222年
秦	西元前 221年～西元前 207年
西漢	西元前 206年～西元 8年
新	西元 9年～西元 24年
東漢	西元 25年～西元 219年
魏(三國)	西元 220年～西元 264元
晉	西元 265年～西元 419年
南北朝	西元 420年～西元 588年
隋	西元 589年～西元 617年
唐	西元 618年～西元 906年
五代	西元 907年～西元 959年
北宋	西元 960年～西元 1126年
南宋	西元 1127年～西元 1276年
元	西元 1277年～西元 1367年
明	西元 1368年～西元 1643年
清	西元 1644年～西元 1911年
中華民國	西元 1912年

國家圖書館出版品預行編目資料

全新吳姐姐講歷史故事. 45. 明代/吳涵碧 著.
--初版.--臺北市；皇冠，1999〔民88〕
面；公分（皇冠叢書；第2942種）
ISBN 978-957-33-1642-8 （平裝）
1. 中國歷史

610.9　　　　88007060

皇冠叢書第2942種
第四十五集【明代】
全新吳姐姐講歷史故事〔注音本〕

作　　者—吳涵碧
繪　　圖—劉建志
發 行 人—平雲
出版發行—皇冠文化出版有限公司
台北市敦化北路120巷50號
電話◎02-27168888
郵撥帳號◎15261516號
皇冠出版社(香港)有限公司
香港銅鑼灣道180號百樂商業中心
19字樓1903室
電話◎2529-1778　傳真◎2527-0904
印　　務—林佳燕
校　　對—鮑秀珍・第一編輯室
著作完成日期—1998年12月
香港發行日期—1999年07月09日
初版一刷日期—1995年07月15日
初版二十七刷日期—2021年05月
法律顧問—王惠光律師

讀者服務傳真專線◎02-27150507
電腦編號◎350045
ISBN◎978-957-33-1642-8
Printed in Taiwan
本書定價◎新台幣150元/港幣45元